MENTOR-REPETITORIEN

Alg

Quadratische, kubische und symmetrische Gleichungen

Von

Oberstudienrat Theo Kühlein

Mit 34 Abbildungen

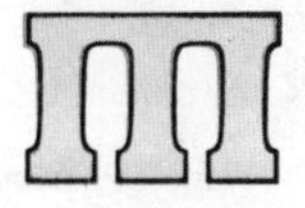

MENTOR VERLAG
MÜNCHEN

Auflage:	*9.*	*8.*	*7.*	*6.*	*5.*	*Letzte Zahlen*
Jahr:	*1982*	*81*	*80*	*79*	*78*	*maßgeblich*

Zeichnungen: Dipl.-Ing. Peter Bauer
Druck: Druckhaus Langenscheidt, Berlin-Schöneberg
Printed in Germany (WS)

VORWORT

In der Algebra rechnen wir mit Buchstaben als „allgemeinen“ Zahlen und leiten „Formeln“ für die verschiedenen Rechenarten ab. Damit die umgekehrten Rechenarten (Subtraktion, Division, Radizieren) stets ausführbar sind, muß der Bereich der ganzen Zahlen nacheinander durch Einführung der negativen Zahlen, der Brüche, der irrationalen und der imaginären Zahlen erweitert werden.

Mit Hilfe der Regeln der Algebra sind wir in der Lage, Gleichungen und Textaufgaben mit einer oder mehreren Unbekannten zu lösen. Die Betrachtung der linearen Funktion und der Funktionen höheren Grades gestatten die zeichnerische Lösung von Gleichungen. Bei der Behandlung der Reihen werden wir mit dem für die höhere Mathematik grundlegenden Begriff des Grenzwertes bekannt gemacht.

Der hier kurz angedeutete Lehrstoff der Algebra ist in der vorliegenden Neuauflage auf die drei Bände 22 bis 24 verteilt und umfaßt etwa das Pensum von Untertertia bis Obersekunda der Gymnasien.

Die zahlreichen Beispiele und Aufgaben geben dem Lernenden Gelegenheit, in die Algebra einzudringen und sich mit ihren Verfahren vertraut zu machen. Selbstverständlich kann die Beherrschung des Stoffes und die nötige Sicherheit nur durch eigene Mitarbeit erreicht werden.

Dem leichten Auffinden eines bestimmten Gebietes oder einer Formel ist durch eine straffe Gliederung, durch zahlreiche Hinweise und durch ein Stichwortverzeichnis Rechnung getragen.

Möge die neue dreibändige Algebra, in der auch die kubischen Gleichungen berücksichtigt wurden, dem Schüler bei seiner Schul- und Hausarbeit von Nutzen sein!

THEO KÜHLEIN

INHALT

QUADRATISCHE GLEICHUNGEN

KUBISCHE GLEICHUNGEN

Die kubische Funktion Seite

Zeichnerische Lösung

SYMMETRISCHE GLEICHUNGEN

Anhang

Algebra I (MR 22) enthält die §§ 1 mit 32:

Die vier Grundrechenarten mit relativen Zahlen; Gleichungen ersten Grades mit einer Unbekannten; Der Funktionsbegriff; Zwei Gleichungen mit zwei Unbekannten; Gleichungen mit mehr als zwei Unbekannten; Proportionen

Algebra II (MR 23) enthält die §§ 33 mit 67:

Die höheren Rechenarten: Potenz-, Wurzel- und Logarithmenrechnung
Die Reihen: arithmetische, geometrische und besondere Reihen

Mathematatische Zeichen

Auszug aus DIN 1302 vom Februar 1961

$\cdots$	(und so weiter) bis
$=$	gleich
$\equiv$	identisch gleich
$\neq$	nicht gleich, ungleich
$\sim$	proportional, ähnlich
$\approx$	angenähert, nahezu gleich (rund, etwa)
$\triangleq$	entspricht
$<$	kleiner als
$>$	größer als
$\leq$	kleiner oder gleich, höchstens gleich
$\geq$	größer oder gleich, höchstens gleich
$\|z\|$	absoluter Betrag von z
$n!$	n Fakultät
$\binom{n}{p}$	n über p
$\sum$	Summe
π	Pi = LUDOLFsche Zahl = 3,14159...
∞	unendlich
$\rightarrow$	gegen, nähert sich, strebt nach
lim	Limes
$\log_a$	Logarithmus zur Basis a
lg	Zehnerlogarithmus (BRIGGSscher)
ln	natürlicher Logarithmus
sin	Sinus
cos	Cosinus
tan	Tangens
cot	Cotangens

QUADRATISCHE GLEICHUNGEN

ALGEBRAISCHE LÖSUNG

§ 68 Einführung

Beispiel. Verlängert man die eine Seite eines Quadrates um 2 cm, die andere um 4 cm, so ist das entstandene Rechteck 3mal so groß wie das Quadrat. Wie lang war die Quadratseite?

Quadrat: Seite $= x$, Fläche $= x^2$
Rechteck: Seiten $= x + 2$ und $x + 4$, Fläche $= (x + 2) \cdot (x + 4)$

Nach der Angabe der Aufgabe ist

$$(x + 2) \cdot (x + 4) = 3 \cdot x^2$$

Wir lösen die Klammern auf:

$$x^2 + 6x + 8 = 3 \cdot x^2$$

und bringen die Gleichung auf die „Nullform", d. h. alle Glieder auf *eine* Seite:

$$0 = 2x^2 - 6x - 8$$

Nach der Division durch 2 erhalten wir:

$$x^2 - 3x - 4 = 0$$

1. Die quadratische Gleichung

In dieser Gleichung kommt die Unbekannte x nicht nur in der 1. Potenz vor (wie dies bei den Gleichungen 1. Grades der Fall war), sondern auch in der 2. Potenz, d. h. als Quadrat. Man nennt sie deshalb eine *Gleichung 2. Grades* oder *quadratische Gleichung*. Eine quadratische Gleichung enthält im allgemeinen drei Glieder:

ein quadratisches Glied (x^2)
ein „lineares" Glied mit x in der 1. Potenz ($-3x$)
ein „absolutes", von x freies Glied (-4)

2. Das Auffinden der Lösung durch Probieren

Den Wert der Unbekannten könnte man durch Probieren finden:

$$\begin{aligned}
x = 1&: \quad 1^2 - 3 \cdot 1 - 4 = -6 \\
x = 2&: \quad 2^2 - 3 \cdot 2 - 4 = -6 \\
x = 3&: \quad 3^2 - 3 \cdot 3 - 4 = -4 \\
x = 4&: \quad 4^2 - 3 \cdot 4 - 4 = 0 \\
x = 5&: \quad 5^2 - 3 \cdot 5 - 4 = 6
\end{aligned}$$

Wir stellen fest, daß der Wert $x = 4$ die Gleichung erfüllt.
Antwort: Die Quadratseite war 4 cm lang.

Probe: Quadrat $= 4^2 = 16$ cm²; Rechteck $= 6 \cdot 8 = 48$ cm².

§ 69 Die quadratische Ergänzung

1. Einfache Fälle

Um nicht auf das langwierige Probieren angewiesen zu sein, lernen wir nun ein Verfahren zur Auflösung quadratischer Gleichungen kennen. Wir erinnern uns von früher (MR 22, § 8) der beiden Grundformeln der Algebra

$$(a + b)^2 = a^2 + 2ab + b^2 \qquad \text{und} \qquad (a - b)^2 = a^2 - 2ab + b^2$$

Hiernach ist

$$(x + c)^2 = x^2 + 2c \cdot x + c^2 \qquad \text{und} \qquad (x - d)^2 = x^2 - 2d \cdot x + d^2$$

ebenso

$$(x + 5)^2 = x^2 + 10 \cdot x + 25 \qquad \text{und} \qquad (x - 7)^2 = x^2 - 14 \cdot x + 49$$

Beispiele. ① Liegt die quadratische Gleichung

$$\mathbf{x^2 + 10x + 25 = 0} \qquad \text{bzw.} \qquad \mathbf{x^2 - 14x + 49 = 0}$$

vor, so läßt sich die linke Seite der Gleichung als Quadrat einer Summe bzw. Differenz schreiben:

$$(x + 5)^2 = 0 \qquad \text{bzw.} \qquad (x - 7)^2 = 0$$

Zieht man beiderseits die Wurzel, so wird

$$x + 5 = 0 \qquad \text{bzw.} \qquad x - 7 = 0$$

mithin $\mathbf{x = -5}$ bzw. $\mathbf{x = +7}$

Wie wir sehen, handelt es sich darum, die linke Seite der quadratischen Gleichung als *Quadrat einer Summe* bzw. *einer Differenz* darzustellen.

② Löse die Gleichung $\mathbf{x^2 - 14x + 48 = 0}$. – Sie unterscheidet sich von der obigen Gleichung $x^2 - 14x + 49 = 0$ nur durch das absolute Glied, das hier um 1 kleiner ist. Die oben angewandte Zusammenfassung zu einem Quadrat ist also nicht möglich. Wir sorgen deshalb dafür, daß die Zahl 49 als absolutes Glied auftritt, indem wir auf beiden Seiten der Gleichung **1** addieren:

$$x^2 - 14x + 49 = 1$$

Wir fassen links zusammen:

$$(x - 7)^2 = 1$$

und ziehen nun die Wurzel, wobei zu beachten ist, daß $\sqrt{1}$ sowohl positiv als auch negativ sein kann (vgl. MR 22, § 40.2):

$$x - 7 = \pm 1$$
$$x = 7 \pm 1$$

2. Gleichung mit zwei Lösungen

Lassen wir das Pluszeichen gelten, so wird $x = 7 + 1 = \mathbf{8}$, während wir für das Minuszeichen $x = 7 - 1 = \mathbf{6}$ erhalten.
Wir machen hier die merkwürdige Beobachtung, daß die quadratische Gleichung $x^2 - 14x + 48 = 0$ *zwei* Lösungen besitzt, was auch durch die Probe bestätigt wird:

$$\mathbf{8}^2 - 14 \cdot \mathbf{8} + 48 = 64 - 112 + 48 = 0 \quad \text{und} \quad \mathbf{6}^2 - 14 \cdot \mathbf{6} + 48 = 36 - 84 + 48 = 0$$

3. Prinzip

Die Gleichung $\mathbf{x^2 - 6x + 5 = 0}$ ist zu lösen!
Wenn wir unserer Gleichung die Formel

$$(a - b)^2 = a^2 - 2ab + b^2$$

gegenüberstellen, so erkennen wir, daß dem a^2 der Formel das x^2 der Gleichung, also dem a das x entspricht. Fassen wir nun das lineare Glied $(-6 \cdot x)$ als Doppelprodukt $(-2 \cdot a \cdot b)$ auf, d. h. schreiben wir

$$6 \cdot x = 2 \cdot 3 \cdot x = 2 \cdot x \cdot 3,$$
$$[2 \cdot a \cdot b]$$

so würde dem b die Zahl 3, dem b^2 die Zahl 9 entsprechen, während das absolute Glied der Gleichung 5 heißt. Wir ergänzen deshalb auf der linken Seite 4, und müssen dann auch rechts 4 addieren:

$$x^2 - 6x + 9 = 4$$
$$(x - 3)^2 = 4$$
$$x - 3 = \pm 2$$
$$x = 3 \pm 2$$

Unsere Gleichung hat somit die Lösungen $x_1 = 3 + 2 = \mathbf{5}$ und $x_2 = 3 - 2 = \mathbf{1}$. – Die Probe bestätigt die Richtigkeit *beider* Lösungen:

$$25 - 30 + 5 = 0 \quad \text{und} \quad 1 - 6 + 5 = 0$$

Die Zahl, die man zu dem absoluten Glied addieren muß, damit sich die linke Seite zu einem Quadrat zusammenfassen läßt, nennt man die *quadratische Ergänzung*.

Aufgaben

Die folgenden Gleichungen sind mittels der quadratischen Ergänzung zu lösen! Beachte, daß das lineare Glied als Doppelprodukt aufzufassen ist! – Proben anstellen!

1.
$$x^2 - 8x - 20 = 0$$
$$x^2 - 2\cdot x\cdot 4 = 20$$
$$x^2 - 2\cdot x\cdot 4 + \mathbf{16} = 20 + \mathbf{16}$$
$$(x-4)^2 = 36$$
$$x - 4 = \pm 6$$
$$x = 4 \pm 6$$
$$\mathbf{x_1 = 10;\ x_2 = -2}$$

2.
$$x^2 + 2x - 8 = 0$$
$$x^2 + 2\cdot x\cdot 1 = 8$$
$$x^2 + 2\cdot x\cdot 1 + \mathbf{1} = 8 + \mathbf{1}$$
$$(x+1)^2 = 9$$
$$x + 1 = \pm 3$$
$$x = -1 \pm 3$$
$$\mathbf{x_1 = 2;\ x_2 = -4}$$

3.
$$x^2 + 4x + 3 = 0$$
$$x^2 + 2\cdot x\cdot 2 = -3$$
$$x^2 + 2\cdot x\cdot 2 + \mathbf{4} = \mathbf{4} - 3$$
$$(x+2)^2 = 1$$
$$x + 2 = \pm 1$$
$$x = -2 \pm 1$$
$$\mathbf{x_1 = -1;\ x_2 = -3}$$

4.
$$x^2 - 12x + 35 = 0$$
$$x^2 - 2\cdot x\cdot 6 = -35$$
$$x^2 - 2\cdot x\cdot 6 + \mathbf{36} = \mathbf{36} - 35$$
$$(x-6)^2 = 1$$
$$x - 6 = \pm 1$$
$$x = 6 \pm 1$$
$$\mathbf{x_1 = 7;\ x_2 = 5}$$

In den nächsten Aufgaben ist der Koeffizient des linearen Gliedes eine ungerade Zahl (+ 5 bzw. − 1); das Verfahren bleibt dasselbe. (Die quadratische Ergänzung ist mit ⌣ bezeichnet.)

5.
$$x^2 + 5x - 14 = 0$$
$$x^2 + 2\cdot x\cdot \frac{5}{2} + \underbrace{\left(\frac{5}{2}\right)^2} = 14 + \underbrace{\left(\frac{5}{2}\right)^2}$$
$$\left(x + \frac{5}{2}\right)^2 = \frac{56 + 25}{4} = \frac{81}{4}$$
$$x + \frac{5}{2} = \pm \frac{9}{2}$$
$$x = -\frac{5}{2} \pm \frac{9}{2}$$
$$\mathbf{x_1 = 2;\quad x_2 = -7}$$

6.
$$x^2 - x - 12 = 0$$
$$x^2 - 2\cdot x\cdot \frac{1}{2} + \underbrace{\left(\frac{1}{2}\right)^2} = 12 + \underbrace{\left(\frac{1}{2}\right)^2}$$
$$\left(x - \frac{1}{2}\right)^2 = \frac{48 + 1}{4} = \frac{49}{4}$$
$$x - \frac{1}{2} = \pm \frac{7}{2}$$
$$x = \frac{1}{2} \pm \frac{7}{2}$$
$$\mathbf{x_1 = 4;\quad x_2 = -3}$$

§ 70 Formel für die Normalform

1. Die Normalform

Allen bisher behandelten Gleichungen war gemeinsam, daß das quadratische Glied keinen Koeffizienten besaß. Diese Form der quadratischen Gleichung bezeichnet man als die *Normalform* und schreibt für sie allgemein

(70.1) $$x^2 + p x + q = 0,$$

worin p den Koeffizienten des linearen Gliedes und q das absolute Glied bedeuten.

2. Ableitung der Formel

Wenn wir die in der Normalform vorliegende quadratische Gleichung allgemein lösen wollen, so verfahren wir genauso wie in den besprochenen Zahlenbeispielen (vgl. Aufg. 5).

$$x^2 + p x + q = 0$$

$$x^2 + 2 \cdot x \cdot \frac{p}{2} = -q$$

$$x^2 + 2 \cdot x \cdot \frac{p}{2} + \left(\frac{p}{2}\right)^2 = \left(\frac{p}{2}\right)^2 - q$$

$$\left(x + \frac{p}{2}\right)^2 = \left(\frac{p}{2}\right)^2 - q$$

$$x + \frac{p}{2} = \pm \sqrt{\left(\frac{p}{2}\right)^2 - q}$$

(70.2) $$x = -\frac{p}{2} \pm \sqrt{\left(\frac{p}{2}\right)^2 - q}$$

Diese Formel merken wir uns gut, denn mit ihr können wir jede quadratische Gleichung lösen, indem wir die gegebenen Zahlenwerte für p und q in die Formel einsetzen.

Beachte: In der Normalform stehen p und q mit *positiven* Vorzeichen; die Formel dagegen beginnt mit $-\frac{p}{2}$, und unter der Wurzel steht $-q$!

7. $x^2 - 14x + 48 = 0$

Es ist $p = -14$, also $-\frac{p}{2} = +7$; $q = 48$

$$x = +7 \pm \sqrt{49 - 48} = 7 \pm 1$$

$$x_1 = 8, \quad x_2 = 6$$

8. $x^2 + 5x - 14 = 0$

Es ist $p = 5$, $q = -14$, also $-q = +14$

$$x = -\frac{5}{2} \pm \sqrt{\frac{25}{4} + 14} = -\frac{5}{2} \pm \sqrt{\frac{81}{4}} = -\frac{5}{2} \pm \frac{9}{2}$$

$$\boldsymbol{x_1 = 2, \quad x_2 = -7}$$

9. Löse die Aufgaben 1 bis 6 mit der Formel!

§ 71 Der Wurzelsatz von Vieta

1. Herleitung

Wenn wir uns die bisher behandelten Gleichungen nebst ihren Lösungen ansehen, so können wir eine bemerkenswerte Beobachtung machen (siehe Aufgabe 7 und 8):
Addieren wir beide Lösungen [$8 + 6 = +14$ bzw. $2 + (-7) = -5$], so erhalten wir den Koeffizienten des linearen Gliedes, allerdings mit dem entgegengesetzten Vorzeichen!
Multiplizieren wir die beiden Lösungen miteinander [$8 \cdot 6 = 48$ bzw. $2 \cdot (-7) = -14$], so erhalten wir das absolute Glied.
Bestätige diese Tatsache an den Aufgaben 1 bis 6!

Der Wurzelsatz* von Vieta

Die Summe der Lösungen einer quadratischen Gleichung ist gleich dem Koeffizienten des linearen Gliedes mit entgegengesetztem Vorzeichen.
Das Produkt der Lösungen ist gleich dem absoluten Glied.

Für die Gleichung $x^2 + px + q = 0$ ist

(71.1) $\quad \boldsymbol{x_1 + x_2 = -p}$ und $\boldsymbol{x_1 \cdot x_2 = q}$

2. Beweis

Die Gleichung $x^2 + px + q = 0$ hat die Lösungen

$$x_1 = -\frac{p}{2} + w, \quad x_2 = -\frac{p}{2} - w; \quad \text{mit } w = \sqrt{\left(\frac{p}{2}\right)^2 - q}$$

daher ist

$$x_1 + x_2 = -\frac{p}{2} + w - \frac{p}{2} - w = -p$$

$$x_1 \cdot x_2 = \left(-\frac{p}{2} + w\right)\left(-\frac{p}{2} - w\right) = \frac{p^2}{4} - w^2 = +q$$

Der Satz von Vieta kann als *Probe* für die Richtigkeit der Lösungen benutzt werden.

* Das Wort „Wurzel" ist hier gleichbedeutend mit „Lösung" einer Gleichung.

3. Anzahl der Lösungen

Wir zeigen nun noch, daß jede quadratische Gleichung *zwei* Lösungen besitzt – die, wie in den Beispielen ① des § 69, gleich sein können –, und daß die quadratische Gleichung nicht mehr als zwei Lösungen hat.

Die Lösungen einer quadratischen Gleichung seien

$x = 5$ und $x = 1$, allgemein $x = \alpha$ und $x = \beta$;

dann ist

$x - 5 = 0$ und $x - 1 = 0$ bzw. $x - \alpha = 0$ und $x - \beta = 0$.

Durch Multiplikation der beiden (linearen) Gleichungen ergibt sich

$(x - 5)(x - 1) = 0$ bzw. $(x - \alpha)(x - \beta) = 0$

$x^2 - 6x + 5 = 0$ $x^2 - (\alpha + \beta)x + \alpha \cdot \beta = 0$

Wir erhalten also, wenn wir von zwei Lösungen ausgehen, in der Tat eine quadratische Gleichung, in der die Summe der Lösungen als negativer Koeffizient des linearen Gliedes $(\alpha + \beta)$ und das Produkt als absolutes Glied $(\alpha \cdot \beta)$ erscheinen (VIETA).

4. Aufbau einer quadratischen Gleichung

Auf dem eben gezeigten Weg kann man eine quadratische Gleichung *aufbauen*, wenn man zwei Zahlenwerte als Lösungen vorschreibt.

(a) $x_1 = 8$; $x_2 = -3$, also $x - 8 = 0$; $x + 3 = 0$
daraus $(x - 8)(x + 3) = x^2 - 5x - 24 = 0$
oder $x_1 + x_2 = +5 = -p$; $x_1 \cdot x_2 = -24 = q$
daraus $x^2 - 5x - 24 = 0$

(b) $x_1 = 2$; $x_2 = -6$; daraus $x^2 + 4x - 12 = 0$

(c) $x_1 = -4$; $x_2 = -9$; daraus $x^2 + 13x + 36 = 0$

10. Baue die folgenden Gleichungen auf! – Löse dann die Gleichungen mit der Formel! (Man findet die Lösungen, von denen man ausgegangen ist.)

(a) $x_1 = 7$; $x_2 = -2$ Ergebnisse: $x^2 - 5x - 14 = 0$

(b) $x_1 = -3$; $x_2 = 5$ $x^2 - 2x - 15 = 0$

(c) $x_1 = -4$; $x_2 = -6$ $x^2 + 10x + 24 = 0$

§ 72 Faktorenzerlegung

Beispiel: Wir haben in § 71.3 gesehen, daß durch Multiplikation zweier linearer Gleichungen eine quadratische Gleichung entsteht. Daraus folgt, daß umgekehrt eine quadratische Gleichung in zwei lineare Gleichungen *zerlegt* werden kann. Gelingt die Zerlegung „auf den ersten Blick", so sind damit bereits die beiden Lösungen gefunden!

$$x^2 - 7x + 10 = 0$$

Das absolute Glied (10) ist das Produkt beider Lösungen. Da $10 = 2 \cdot 5$ ist, könnten 2 und 5 die Lösungen sein; und in der

Tat ist deren Summe ($2 + 5 = 7$) gleich dem negativen Koeffizienten von x. Also $x_1 = \mathbf{2}$, $x_2 = \mathbf{5}$. – Die „Faktorenzerlegung" würde nach dem oben Gesagten lauten:

$$(x - 2)(x - 5) = 0$$

Das absolute Glied 10 könnte auch in $10 = 1 \cdot 10$ zerlegt werden, jedoch kommt diese Zerlegung nicht in Frage, da $1 + 10 = 11$ ergibt.

Aufgaben

Versuche, die Lösungen folgender Gleichungen durch Faktorenzerlegung zu finden:

11. $x^2 + 5x - 24 = 0$

Da $q = -24$, so ist eine der beiden Lösungen negativ. Es ist

$$24 = 1 \cdot 24 = 2 \cdot 12 = 3 \cdot 8 = 4 \cdot 6$$

Als Lösungen kämen demnach folgende Paare in Betracht:

$+1;\ -24$	$+2;\ -12$	$\boxed{+3;\ -8}$	$+4;\ -6$
$-1;\ +24$	$-2;\ +12$	$-3;\ +8$	$-4;\ +6$

Da $p = 5$ ist, die Summe beider Lösungen also -5 betragen muß, so sind $x_1 = \mathbf{+3}$, $x_2 = \mathbf{-8}$ die gesuchten Lösungen.

12. $x^2 - 4x - 12 = 0$

$12 = 1 \cdot 12 = 2 \cdot 6 = 3 \cdot 4$

mögliche Lösungspaare	$+1;\ -12$	$+2;\ -6$	$+3;\ -4$
	$-1;\ +12$	$\boxed{-2;\ +6}$	$-3;\ +4$

Die Summe ist $+4$, also $x_1 = \mathbf{-2}$, $x_2 = \mathbf{+6}$.

13. $x^2 + 13x + 36 = 0$

$36 = 1 \cdot 36 = 2 \cdot 18 = 3 \cdot 12 = \boxed{4 \cdot 9} = 6 \cdot 6$

Da $q = +36$, so sind *beide* Lösungen positiv oder *negativ*; ihre Summe muß -13 sein, also $x_1 = \mathbf{-4}$, $x_2 = \mathbf{-9}$.

Die Faktorenzerlegung ist nicht immer so leicht ausführbar wie in den vorstehenden Aufgaben, besonders wenn p oder q keine ganzen Zahlen sind. In solchen Fällen kommt man mit der Formel schneller zum Ziel.

§ 73 Die allgemeine quadratische Gleichung

Beispiel: In der Gleichung

$$16x^2 - 48x + 27 = 0$$

besitzt – im Gegensatz zu den bisher betrachteten Gleichungen – das quadratische Glied einen Koeffizienten (16). Um sie zu lösen, braucht man die Gleichung nur auf die Normalform zu bringen, indem man sie durch 16 dividiert:

(I) $$x^2 - 3x + \frac{27}{16} = 0$$

Mit der Formel finden wir dann

$$x = \frac{3}{2} \pm \sqrt{\frac{9}{4} - \frac{27}{16}} = \frac{3}{2} \pm \sqrt{\frac{36-27}{16}} = \frac{3}{2} \pm \sqrt{\frac{9}{16}} = \frac{3}{2} \pm \frac{3}{4}$$

$$x_1 = \frac{9}{4};\ x_2 = \frac{3}{4}$$

VIETA-Probe: $\frac{9}{4} + \frac{3}{4} = +3;\quad \frac{9}{4} \cdot \frac{3}{4} = \frac{27}{16}$

Hieraus ist ersichtlich, daß die VIETA-Probe *nur* auf die *Normalform* (I) angewandt werden darf!

14. Löse die Gleichung $6x^2 - 5x + 1 = 0$ mit der Formel!

$$x^2 - \frac{5}{6}x + \frac{1}{6} = 0$$

$$p = -\frac{5}{6},\quad \text{also } \frac{p}{2} = -\frac{5}{12};\quad q = \frac{1}{6}$$

$$x = \frac{5}{12} \pm \sqrt{\frac{25}{144} - \frac{1}{6}} = \frac{5}{12} \pm \sqrt{\frac{1}{144}} = \frac{5 \pm 1}{12}$$

$$x_1 = \frac{1}{2},\ x_2 = \frac{1}{3}$$

Probe: $\frac{1}{2} + \frac{1}{3} = \frac{5}{6};\quad \frac{1}{2} \cdot \frac{1}{3} = \frac{1}{6}$

1. Die allgemeine Formel

Will man die allgemeine quadratische Gleichung mit der „Normalformel" lösen, so muß man zunächst durch den Koeffizienten von x^2 dividieren. Unter der Wurzel erscheinen dann ungleichnamige Brüche, die gleichnamig gemacht werden müssen. Das Rechnen mit Brüchen entfällt, wenn man sich einer besonderen Formel bedient.

Die allgemeine quadratische Gleichung hat die Form

(73.1) $$\boldsymbol{ax^2 + bx + c = 0},$$

worin a, b und c gegebene Zahlen bedeuten. Wir dividieren die Gleichung durch a:

$$x^2 + \frac{b}{a}x + \frac{c}{a} = 0$$

fassen $\frac{b}{a}x$ als Doppelprodukt auf:

$$x^2 + 2 \cdot x \cdot \frac{b}{2a} = -\frac{c}{a}$$

fügen die quadratische Ergänzung hinzu:

$$x^2 + 2 \cdot x \cdot \frac{b}{2a} + \left(\frac{b}{2a}\right)^2 = \left(\frac{b}{2a}\right)^2 - \frac{c}{a}$$

fassen links zu einem Quadrat zusammen und machen rechts die Brüche gleichnamig:

$$\left(x + \frac{b}{2a}\right)^2 = \frac{b^2}{4a^2} - \frac{c}{a} = \frac{b^2 - 4ac}{4a^2}$$

Wir ziehen nun die Wurzel:

$$x + \frac{b}{2a} = \pm \frac{\sqrt{b^2 - 4ac}}{2a}$$

und erhalten

$$x = \frac{-b \pm \sqrt{b^2 - 4ac}}{2a} \qquad (73.2)$$

Auch diese Formel gehört zum „eisernen Bestand" und muß unbedingt behalten werden. – Mit ihr lösen wir die Aufgabe 14.

$6x^2 - 5x + 1 = 0; \quad a = 6, \quad b = -5, \quad c = 1$

$$x = \frac{5 \pm \sqrt{25 - 4 \cdot 6 \cdot 1}}{2 \cdot 6} = \frac{5 \pm 1}{12}; \quad x_1 = \frac{1}{2}, \quad x_2 = \frac{1}{3}$$

2. Sonderformel

Ist b – wie in der obigen Darstellung – eine *gerade* Zahl, die wir vorübergehend mit 2β bezeichnen wollen, so geht unsere Formel über in

$$x = \frac{-2\beta \pm \sqrt{4\beta^2 - 4ac}}{2a} = \frac{-2\beta \pm \sqrt{4(\beta^2 - ac)}}{2a} =$$

$$= \frac{-2\beta \pm 2\sqrt{\beta^2 - ac}}{2a} = \frac{-\beta \pm \sqrt{\beta^2 - ac}}{a}, \quad \text{worin } \beta = \frac{b}{2};$$

also

$$x = \frac{-\frac{b}{2} \pm \sqrt{\left(\frac{b}{2}\right)^2 - ac}}{a} \qquad (73.3)$$

Diese Sonderformel (für gute Rechner!) bietet den Vorteil kleinerer Zahlen.

In dem Beispiel $16x^2 - 48x + 27 = 0$ erhält man dann

$$x = \frac{24 \pm \sqrt{576 - 432}}{16} = \frac{24 \pm 12}{16} = \frac{6 \pm 3}{4} = \begin{cases} \frac{9}{4} = 2{,}25 \\ \frac{3}{4} = 0{,}75 \end{cases}$$

Da die Normalform $x^2 + px + q = 0$ nur ein Sonderfall der allgemeinen Form $ax^2 + bx + c = 0$ ist, nämlich für $a = 1$, so kann die allgemeine Formel natürlich auch für die Normalform angewandt werden.

$$x^2 + 5x + 6 = 0; \quad a = 1, \quad b = 5, \quad c = 6$$

$$x = \frac{-5 \pm \sqrt{25 - 4 \cdot 1 \cdot 6}}{2 \cdot 1} = \frac{-5 \pm 1}{2}; \; x_1 = -2, \; x_2 = -3$$

§ 74 Die Diskriminante

Beispiele: Wir lösen die nachstehenden Gleichungen mit (70.2):

$x^2 - 6x + 5 = 0$	$x^2 - 6x + 9 = 0$	$x^2 - 6x + 10 = 0$
$x = +3 \pm \sqrt{9 - 5}$	$x = 3 \pm \sqrt{9 - 9}$	$x = 3 \pm \sqrt{9 - 10}$
$= 3 \pm \sqrt{4}$	$= 3 \pm \sqrt{0}$	$= 3 \pm \sqrt{-1}$
$\mathbf{x_1 = 5, \; x_2 = 1}$	$\mathbf{x_1 = 3, \; x_2 = 3}$	$\mathbf{x_1 = 3 + i, \; x_2 = 3 - i}$

Wir erkennen, daß eine quadratische Gleichung entweder zwei verschiedene, zwei gleiche oder zwei konjugiert-komplexe Lösungen besitzt.

1. Das Vorzeichen der Diskriminante

In (70.2) bezeichnet man den Radikanden $\frac{p^2}{4} - q$ als Diskriminante* (D) der quadratischen Gleichung. Ihr Vorzeichen entscheidet, welcher Art die Lösungen sind.

(74.1)

Für $\mathbf{D = \frac{p^2}{4} - q \gtreqless 0}$ **liegen** $\left\{\begin{array}{l}\textbf{2 verschiedene}\\ \textbf{2 gleiche}\\ \textbf{2 konj.kompl.}\end{array}\right\}$ **Lösungen vor.**

Bei der allgemeinen quadratischen Gleichung (73.3) entscheidet die *Diskriminante*

$$\mathbf{D = b^2 - 4ac \gtreqless 0,}$$

welcher Art die beiden Lösungen sind.

2. Die Doppellösung

Für $D = 0$ erhält man nur *eine* Lösung. Man spricht aber besser von zwei gleichen Lösungen oder von einer Doppellösung. Diese Auffassung fordert auch der VIETA-Satz:

Für $\frac{p^2}{4} = q$ lautet die Normalform

$$x^2 + px + \frac{p^2}{4} = 0 \quad \text{oder} \quad \left(x + \frac{p}{2}\right)^2 = 0$$

daraus $x_{1,2} = -\frac{p}{2}$, also $x_1 + x_2 = -p$ und $x_1 \cdot x_2 = \frac{p^2}{4}$

---

* lat. *discriminare* = unterscheiden.

Aufgaben

15. $x^2 - 12x + 36 = 0$ Ergebnis: $x = 6$;

16. $x^2 + 8x + 16 = 0$ $x = -4$;

17. $9x^2 + 42x + 49 = 0$ $x = -\frac{7}{3}$

18. $64x^2 - 48x + 9 = 0$ $x = \frac{3}{8}$

3. Konjugiert-komplexe Lösungen

Daß man im Fall D < 0 stets zwei konjugiert-komplexe Lösungen erhält, etwa

$$x_1 = u + vi \quad \text{und} \quad x_2 = u - vi$$

folgt aus dem VIETA-Satz; denn nur dann wird sowohl die Summe als auch das Produkt der Lösungen reell:

$$x_1 + x_2 = u + vi + u - vi = 2u \; (= -p)$$
$$x_1 \cdot x_2 = (u + vi)(u - vi) = u^2 - v^2 i^2 = u^2 + v^2 \; (= q)$$

in der Tat besitzt die Gleichung

$$x^2 - 2ux + (u^2 + v^2) = 0$$

die konjugiert-komplexen Lösungen

$$x = u \pm \sqrt{u^2 - (u^2 + v^2)} = u \pm \sqrt{-v^2} = u \pm vi$$

19. Löse die Gleichungen $x^2 - \frac{3}{2}x + \frac{5}{8} = 0$ und $x^2 + \frac{5}{2}x + \frac{17}{8} = 0$

Ergebnisse: $\frac{3 \pm i}{4}$; $\frac{-5 \pm 3i}{4}$

20. Die folgenden Gleichungen sind mit (73.3) zu lösen:

$9x^2 - 30x + 16 = 0$	$9x^2 - 30x + 25 = 0$	$9x^2 - 30x + 29 = 0$
$x = \frac{15 \pm \sqrt{225 - 144}}{9}$	$x = \frac{15 \pm \sqrt{225 - 225}}{9}$	$x = \frac{15 + \sqrt{225 - 261}}{9}$
$x_1 = \frac{8}{3}$; $x_2 = \frac{2}{3}$	$x_1 = x_2 = \frac{5}{3}$	$x_{1,2} = \frac{5 \pm 2i}{3}$

§ 75 Gleichungen mit irrationalen Lösungen

Beispiel: Wir lösen die Gleichung $x^2 + 4x + 2 = 0$.

$$x = -2 \pm \sqrt{4-2} = -2 \pm \sqrt{2}$$

Da $\sqrt{2} = 1{,}4142 \ldots$ eine Irrationalzahl ist, so hat unsere Gleichung zwei irrationale Lösungen, die wir auf jede beliebige Stellenzahl angeben können, wenn wir die Wurzel auf genügend viele Stellen ausrechnen.

$$x_1 = -2 + 1{,}4142 = -0{,}5858; \quad x_2 = -2 - 1{,}4142 = -3{,}4142$$

VIETA-Probe: $-0{,}5858 - 3{,}4142 = -4 \; (= -p)$.
Das Produkt, das positiv ist, berechnen wir mit abgekürzter Multiplikation (MR 2): $3{,}4142 \cdot 0{,}5858 = 2{,}0000_4 \; (= q)$.

Aufgaben: In den folgenden Gleichungen sind die Lösungen (sofern sie reell sind) auf vier Stellen zu berechnen.

21. $x^2 - 6x - 1 = 0$ Ergebnisse: $3 \pm \sqrt{10} = \begin{cases} 6{,}1623 \\ -0{,}1623 \end{cases}$

22. $4x^2 - 20x + 5 = 0$ $2{,}5 \pm \sqrt{5} = \begin{cases} 4{,}7361 \\ 0{,}2639 \end{cases}$

23. $4x^2 + 28x - 1 = 0$ $\dfrac{-7 \pm 5\sqrt{2}}{2} = \begin{cases} 0{,}0355 \\ -7{,}0355 \end{cases}$

24. $x^2 - 3x + 3 = 0$ $\dfrac{3 \pm i\sqrt{3}}{2}$

25. $x^2 + 8x + 18 = 0$ $-4 \pm i\sqrt{2}$

26. $36x^2 - 108x + 93 = 0$ $\dfrac{3}{2} \pm \dfrac{1}{\sqrt{3}} i$

§ 76 Sonderfälle

Ist in der allgemeinen quadratischen Gleichung

$$ax^2 + bx + c = 0$$

eine der Größen b oder c gleich Null, so haben wir besonders einfache Fälle vor uns.

Für $a = 0$ läge überhaupt keine quadratische Gleichung, sondern eine lineare Gleichung vor.

1. Die reinquadratische Gleichung

$b = 0$, also $ax^2 + c = 0$

Hieraus folgt sofort: $ax^2 = -c$, $x^2 = -\frac{c}{a}\left(= -\frac{ac}{a^2}\right)$

$$x = \pm\frac{1}{a}\sqrt{-ac}$$

Dieser Fall der sog. *reinquadratischen Gleichung* liefert zwei nur durch das Vorzeichen unterschiedene Lösungen. Die Lösungen sind reell, wenn $ac < 0$, d. h. wenn a und c verschiedene Vorzeichen haben, denn nur dann ist der Radikand $(-ac)$ positiv. Für $ac > 0$, wenn also a und c gleiches Vorzeichen besitzen, sind die Lösungen imaginär.

Aufgaben:

27. $4x^2 - 9 = 0$; $4x^2 = 9$; $x^2 = \frac{9}{4}$; $\boldsymbol{x = \pm\frac{3}{2}}$; $[ac = -36 < 0]$

28. $9x^2 + 4 = 0$; $9x^2 = -4$; $x^2 = -\frac{4}{9}$; $\boldsymbol{x = \pm\frac{2}{3}i}$; $[ac = 36 > 0]$

2. Die quadratische Gleichung ohne absolutes Glied

$c = 0$, also $ax^2 + bx = 0$.

Löst man diese Gleichung nach der Formel, so erhält man

$$x = \frac{-b \pm \sqrt{b^2}}{2a} = \frac{-b \pm b}{2a}; \quad \boldsymbol{x_1 = 0}; \quad \boldsymbol{x_2 = -\frac{b}{a}}$$

Einfacher kommt man zum Ziel, wenn man x ausklammert:

$$x \cdot (ax + b) = 0\,.$$

Dieses Produkt aus x und der Klammer kann nur dann gleich Null sein, wenn einer der Faktoren Null ist, also

$$\boldsymbol{x_1 = 0} \quad \text{und } ax + b = 0,$$

$$\text{daraus } \boldsymbol{x_2 = -\frac{b}{a}}$$

Eine quadratische Gleichung, in der das absolute Glied fehlt, hat stets eine Lösung $x = 0$; die zweite Lösung ist immer reell.

Aufgaben:

29. $4x^2 + 7x = 0$; $x \cdot (4x + 7) = 0$; $\boldsymbol{x_1 = 0,\ x_2 = -\frac{7}{4}}$

30. $3x^2 - 8x = 0$; $x \cdot (3x - 8) = 0$; $\boldsymbol{x_1 = 0,\ x_2 = \frac{8}{3}}$

§ 77 Textaufgaben

31. In welche (positiven) Faktoren kann man die Zahl 60 zerlegen, wenn

(a) deren Summe 19,

(b) deren Differenz 7 sein soll?

Zu (a) Nach dem VIETA-Satz ist $x_1 + x_2 = 19$, $x_1 \cdot x_2 = 60$, also

$$x^2 - 19x + 60 = 0$$

$$\mathbf{x_1 = 15, \quad x_2 = 4}$$

Zu (b) $x \cdot y = 60$,

$$\begin{array}{rcl|c|c} x - y & = & 7 & & + \\ (x-y)^2 & = & 49 & + & \\ 4xy & = & 240 & + & \\ \hline (x+y)^2 & = & 289 & & \\ x + y & = & 17 & & + \\ \hline & 2x = 24 & & & \end{array}$$

$$\mathbf{x = 12, \quad y = 5}^*$$

32. Die Quersumme einer zweistelligen Zahl ist 8, die Summe der Quadrate ihrer Ziffern ist 40.

Die Zahl habe x Zehner, sie hat also (wegen der Quersumme 8) $8 - x$ Einer.

$$x^2 + (8 - x)^2 = 40$$

$$x^2 - 8x + 12 = 0$$

$$x_1 = 6 \qquad x_2 = 2$$

Ergebnis:

1. Lösung: Die Zahl hat 6 Zehner, also 2 Einer, und heißt **62**.
2. Lösung: Die Zahl hat 2 Zehner, also 6 Einer, und heißt **26**.

33. Die eine Kathete eines rechtwinkligen Dreiecks ist $a = 12$ cm. Wie lang ist ihre Projektion auf die Hypotenuse, wenn die andere Kathetenprojektion $q = 7$ cm ist?

$$a = 12, \quad q = 7, \quad p = x, \quad c = x + 7$$

Nach dem Kathetensatz ist $a^2 = c \cdot p$:

$$144 = x(x + 7)$$

$$x^2 + 7x - 144 = 0$$

$$\mathbf{x_1 = 9} \; (x_2 = -16 \text{ scheidet aus})$$

Die Kathetenprojektion ist $p = 9$ cm, die Hypotenuse $c = 16$ cm.

Probe: $c = 16$; $12^2 \equiv 16 \cdot 9$.

Anmerkung: In angewandten Aufgaben hat die negative Lösung meist keinen Sinn (eine Strecke z. B. kann keine negative Länge haben!).

---

* Anmerkung zu (b): Läßt man die Einschränkung „positive" Faktoren fallen, so gilt auch $x + y = -17$, und wir erhalten mit $x - y = 7$ die Lösungen $x = -5$ und $y = -12$.

34. Ein rechteckiges Beet ($a = 10$ m, $b = 3$ m) ist ringsum von einem x Meter breiten Weg umgeben. Die Beetfläche ist gleich der Wegfläche.

Die Gesamtfläche $B + W = (a + 2x)(b + 2x)$
Wegen $B = W$ ist $2B = (a + 2x)(b + 2x)$
und mit $B = ab$: $2ab = (a + 2x)(b + 2x)$
daraus $4x^2 + 2(a + b)x - ab = 0$
$4x^2 + 26x - 30 = 0$

$$x = \frac{-13 \pm \sqrt{169 + 120}}{4} = \frac{-13 \pm 17}{4}$$

$$\mathbf{x_1 = 1}, \quad x_2 = -7\tfrac{1}{2} \text{ (scheidet aus)}$$

Der Weg ist **1** m breit.

Probe: Gesamtfläche $= 12 \cdot 5 = 60$ m², Beet $= 30$ m², also Weg $= 30$ m².

35. Von vier Zahlen, deren Produkt 1944 ist, ist jede folgende Zahl um 3 größer als die vorhergehende. Wie heißen die vier Zahlen?

Die erste Zahl sei x; dann sind die folgenden Zahlen $x + 3$, $x + 6$ und $x + 9$. Somit

$$x(x + 3)(x + 6)(x + 9) = 1944$$

Wir bilden die Produkte aus $x(x + 9)$ und $(x + 3)(x + 6)$:

$$(x^2 + 9x)(x^2 + 9x + 18) = 1944$$

Da $x^2 + 9x$ in beiden Klammern auftritt, setzen wir

(I) $x^2 + 9x = v$
und erhalten $v^2 + 18v - 1944 = 0$,
daraus $v = -9 \pm 45$, also $\mathbf{v_1 = 36}$, $\mathbf{v_2 = -54}$

Setzen wir die beiden Werte von v in (I) ein, so erhalten wir zwei quadratische Gleichungen für x:

$$x^2 + 9x - 36 = 0 \quad \text{und} \quad x^2 + 9x + 54 = 0$$

$$x = \frac{-9 \pm 15}{2} \qquad x = \frac{-9 \pm \sqrt{-135}}{2}$$

$$\mathbf{x_1 = 3}, \quad \mathbf{x_2 = -12} \qquad x_3 \text{ und } x_4 \text{ sind komplex}$$

Die Zahlen heißen 3, 6, 9, 12 bzw. -12, -9, -6, 3.

36.

$$\sqrt{\frac{9 - x}{20 + x}} + \sqrt{\frac{20 + x}{9 - x}} = 2{,}9$$

Da der eine Radikand der Kehrwert des anderen ist, setzen wir

$$\text{(I)} \qquad \frac{9 - x}{20 + x} = u^2$$

so daß
$$u + \frac{1}{u} = 2{,}9$$

daraus
$$u^2 + 1 = 2{,}9u$$
$$u^2 - 2{,}9u + 1 = 0$$
$$u_1 = \frac{5}{2} \qquad u_2 = \frac{2}{5}$$

mithin
$$u_1^2 = \frac{25}{4} \qquad u_2^2 = \frac{4}{25}$$

Setzen wir beide Werte in (I) ein, so erhalten wir (Probe!):

$$\boldsymbol{x_1 = -16 \qquad x_2 = 5}$$

37.
$$\frac{\sqrt{a + x} + \sqrt{b + x}}{\sqrt{a + x} - \sqrt{b + x}} = \frac{b}{x}$$

Mit dem Satz von der entsprechenden Addition und Subtraktion (MR 22, § 29.8) wird

$$\frac{\sqrt{a + x}}{\sqrt{b + x}} = \frac{b + x}{b - x}$$

Nach dem Quadrieren und Beseitigen der Nenner erhält man

$$(a + x)(b - x)^2 = (b + x)^3$$

$$ab^2 - 2abx + ax^2 + b^2x - 2bx^2 + x^3 = b^3 + 3b^2x + 3bx^2 + x^3$$

und da die x^3 wegfallen:

$$(5b - a)\,x^2 + 2b\,(a + b)\,x - b^2\,(a - b) = 0$$

Löse diese quadratische Gleichung für $b = 1$, $a = 2{,}5$.

Ergebnis: $x_1 = \frac{1}{5}$, $x_2 = -3$.

Probe:
$$\frac{\sqrt{2{,}5 + x} \pm \sqrt{1 + x}}{\sqrt{2{,}5 + x} \mp \sqrt{1 + x}} = \frac{1}{x}$$

Für $x = \frac{1}{5}$:
$$\frac{\sqrt{2{,}7} + \sqrt{1{,}2}}{\sqrt{2{,}7} - \sqrt{1{,}2}} = \frac{3\sqrt{3} + 2\sqrt{3}}{3\sqrt{3} - 2\sqrt{3}} = 5$$

für $x = -3$:
$$\frac{\sqrt{-0{,}5} - \sqrt{-2}}{\sqrt{-0{,}5} + \sqrt{-2}}^{*} = \frac{\sqrt{5} - 2\sqrt{5}}{\sqrt{5} + 2\sqrt{5}} = -\frac{1}{3}$$

---

* Man erweitere die Radikanden mit -10!

§ 78 Quadratische Gleichungen mit zwei Unbekannten

38. Die Summe zweier Zahlen ist 11, die Summe ihrer Quadrate ist 65. Wie heißen die beiden Zahlen?

Die gesuchten Zahlen seien x und y

$$\text{(I)}\quad x + y = 11$$
$$\text{(II)}\quad x^2 + y^2 = 65$$

Wir rechnen etwa y aus (I) aus, bilden y^2 und setzen dessen Wert in (II) ein:

$y = 11 - x$, also $y^2 = 121 - 22x + x^2$

eingesetzt: $x^2 + 121 - 22x + x^2 = 65$

$$2x^2 - 22x + 56 = 0$$
$$x^2 - 11x + 28 = 0$$

daraus $x_1 = 7,\quad x_2 = 4$

und wegen $y = 11 - x$: $y_1 = 4,\quad y_2 = 7$

Die beiden Zahlen heißen **7** und **4** (bzw. 4 und 7)*.

Probe: $7 + 4 = 11$; $7^2 + 4^2 = 49 + 16 = 65$.

39. Vertauscht man die Ziffern einer zweistelligen Zahl, so entsteht eine um 63 größere Zahl. Erhebt man beide *Ziffern* ins Quadrat, so ist deren Summe gleich 85.

Eine zweiziffrige Zahl | x | y | mit den Ziffern x (Zehner) *und* y (Einer) läßt sich in der Form

$$10x + y$$

darstellen. Nach Vertauschung der Ziffern | y | x | heißt sie

$$10y + x$$

Differenz: $(10y + x) - (10x + y) = 63$

oder $9y - 9x = 63$

oder (I) $y - x = 7$

ferner (II) $x^2 + y^2 = 85$

Aus (I) wird $y = x + 7$, also $y^2 = x^2 + 14x + 49$

in (II) eingesetzt: $x^2 + x^2 + 14x + 49 = 85$

oder $x^2 + 7x - 18 = 0$

daraus $\mathbf{x_1 = 2},\quad \mathbf{x_2 = -9}$

(Die Lösung -9 hat in unserer Aufgabe keinen Sinn.)

Aus $y = x + 7$ wird $y = \mathbf{9}$

Die Zahl heißt **29,** vertauscht 92.

Probe: $92 - 29 = 63$; $2^2 + 9^2 = 85$.

---

* Daß man die Lösungen 7 und 4 bzw. 4 und 7 erhält, liegt daran, daß die beiden Unbekannten x und y gleichwertig sind. Es ist ihre Summe und die Summe ihrer Quadrate gegeben, und die Summanden sind bekanntlich vertauschbar, so daß keine der Unbekannten vor der anderen bevorzugt ist.

40. Der Umfang eines Rechtecks ist 32 cm, seine Fläche 63 cm². Wie lang sind die Seiten (x und y)?

$$2x + 2y = 32$$

oder
$$x + y = 16$$
$$x \cdot y = 63$$

Daraus (nach VIETA) die quadratische Gleichung

$$x^2 - 16x + 63 = 0 \text{ mit } \mathbf{x_1 = 9, \quad x_2 = 7}$$

mithin $\mathbf{y_1 = 7, \quad y_2 = 9}$

Die Rechteckseiten sind **9** cm und **7** cm (vgl. Fußnote zu Aufgabe 38).

41. Die Fläche eines rechtwinkligen Dreiecks mit der Hypotenuse $c = 13$ cm beträgt 30 cm². Wie lang sind die Katheten (x und y)?

Fläche $= \frac{1}{2}xy$; $\quad c^2 = x^2 + y^2$ (nach Pythagoras)

$$\text{(I)} \quad x \cdot y = 60$$
$$\text{(II)} \quad x^2 + y^2 = 169$$

Verdoppelt man (I) ($2xy = 120$) und addiert dazu (II), so erhält man

$$x^2 + 2xy + y^2 = 169 + 120$$
$$(x + y)^2 = 289 \qquad \text{daraus}$$
$$\text{(III)} \quad x + y = 17^*$$

Subtrahiert man die verdoppelte Gleichung (I) von (II), so ergibt sich

$$x^2 - 2xy + y^2 = 169 - 120$$
$$(x - y)^2 = 49 \qquad \text{daraus}$$
$$\text{(IV)} \quad x - y = 7$$

Aus (III) und (IV) wird $\mathbf{x = 12, \quad y = 5}$

Anmerkung: Man könnte auch wie folgt verfahren:

$$y = \frac{60}{x}, \quad \text{also} \quad x^2 + \frac{3600}{x^2} = 169, \quad \text{oder (mit } x^2 \text{ multipliziert)}$$

$$x^4 + 3600 = 169x^2$$
$$x^4 - 169x^2 + 3600 = 0$$

Diese Gleichung ist eigentlich vom *vierten* Grade, da sie x^4 enthält. Mit der quadratischen Gleichung verglichen kommt in ihr x^4 statt x^2 und x^2 statt x vor. Man nennt sie eine „biquadratische“ Gleichung. Setzt man $x^2 = u$, also $x^4 = u^2$, so ergibt sich die quadratische Gleichung

$$u^2 - 169u + 3600 = 0$$

---

* Das negative Zeichen hat hier keinen Sinn.

$$u = \frac{+169 \pm \sqrt{28561 - 14400}}{2} = \frac{169 \pm 119}{2} = \begin{cases} = \frac{288}{2} = 144 \\ = \frac{50}{2} = 25 \end{cases}$$

somit $\mathbf{x = 12}$, $\mathbf{y = 5}$. – Probe!

42.

$$\begin{aligned} &(I) & x^3 + y^3 &= 341 \\ &(II) & x + y &= 11 \end{aligned}$$

Dividiere (I) : (II) nach MR 22, Formel (8.4):

$$x^2 - x \cdot y + y^2 = \frac{341}{11} = 31$$

Aus (II) ist $y = 11 - x$, was wir in die letzte Gleichung einsetzen:

$$\begin{aligned} x^2 - x(11 - x) + (11 - x)^2 &= 31 \\ 3x^2 - 33x + 90 &= 0 \\ x^2 - 11x + 30 &= 0; \quad \mathbf{x_1 = 6, \quad x_2 = 5} \end{aligned}$$

dann aus (II): $\mathbf{y_1 = 5, \quad y_2 = 6}$

43. Ein Läufer (B) will einen anderen (A) auf einer 1800 m langen Bahn einholen und beginnt seinen Lauf 40 Sek. später, da seine Geschwindigkeit $\frac{1}{2}$ m/s mehr beträgt als die des ersten. Wie schnell liefen beide?

A hat $x + \frac{1}{2}$ m/s und läuft $y - 40$ Sekunden
B hat x m/s und läuft y Sekunden

Da Weg = Geschwindigkeit mal Zeit, so ergeben sich die beiden Gleichungen:

$$\begin{aligned} &(I) & x \cdot y &= 1800 \quad | - \\ &(II) & (x + \tfrac{1}{2})(y - 40) &= 1800 \quad | + \\ & & -40x + \tfrac{1}{2}y - 20 &= 0 \end{aligned}$$

(verdoppelt) $y = 40(2x + 1)$

in (I):

$$\begin{aligned} 40(2x + 1)x &= 1800 \\ (2x + 1)x &= 45 \\ 2x^2 + x - 45 &= 0 \\ \mathbf{x_1} &= \mathbf{4{,}5} \quad (x_2 = -5 \text{ scheidet aus}) \\ \mathbf{y} &= \mathbf{400} \end{aligned}$$

A lief 360 Sek. mit 5 m/s, B lief 400 Sek. mit 4,5 m/s.

44. Ein Flugzeug braucht auf einer 420 km langen Strecke für den Hin- und Rückflug 87 Min. Es hat beim Hinflug Gegenwind, beim Rückflug Rückenwind (Windstärke 20 km/h). Welches ist die Eigengeschwindigkeit des Flugzeuges? Wie lange dauerten der Hinflug und der Rückflug?

87 Min. = 1,45 Std.

Eigengeschwindigkeit: x km/h; Windgeschwindigkeit: 20 km/h

	Geschwindigkeit	Zeit
Hinflug	$x - 20$ km/h	y Std.
Rückflug	$x + 20$ km/h	$1{,}45 - y$ Std.

(I) $(x - 20)\,y = 420$

(II) $(x + 20)\,(1{,}45 - y) = 420$

(II) − (I) $1{,}45x - 2xy + 29 = 0$

daraus (III) $y = \frac{1{,}45 + 29}{2\,x} = \frac{1{,}45\,(x + 20)}{2\,x}$

(III) in (I) eingesetzt liefert die quadratische Gleichung

$$29x^2 - 16800x - 11600 = 0$$

Als brauchbare Lösung kommt nur $\boldsymbol{x = 580}$ in Betracht, dazu $\boldsymbol{y = \frac{3}{4}}$.

Die Eigengeschwindigkeit des Flugzeuges beträgt 580 km/h; der Hinflug dauerte $\frac{3}{4}$ Std. = 45 Min., der Rückflug 42 Min.

Probe: $(580 - 20)\frac{45}{60} = 420$; $(580 + 20)\frac{42}{60} = 420$.

ZEICHNERISCHE LÖSUNG

§ 79 Die quadratische Funktion

1. Die Funktion $y = x^2$ (Normalparabel)

Beispiel: Läßt man eine Kugel auf einer geneigten Fläche, einer sog. *schiefen Ebene*, hinunterrollen, so kann man beobachten, daß die Kugel die Bahn um so schneller durchläuft, je steiler die schiefe Ebene ist. Merkt man sich durch aufgestellte Fähnchen diejenigen Stellen, an denen die Kugel jeweils nach 1 Sekunde vorbeieilt, so erkennt man, daß ihre Geschwindigkeit von Sekunde zu Sekunde zunimmt*. Ein Versuch hat (bei einer gewissen Neigung der schiefen Ebene) folgende Ergebnisse geliefert:

Zeit t	0	1	2	3	4	5	6 sec
Weg s	0	1	4	9	16	25	36 cm

Wir ersehen aus der Tabelle, daß die Wegzahlen die *Quadrate* der Zeitzahlen sind, d. h. es ist

$$s = t^2$$

Zeichnet man die Abhängigkeit des Weges von der Zeit in ein Achsenkreuz, so erhält man eine Kurve, die immer steiler ansteigt** (Abb. 48).

1.1 *Wertetafel.* Wenn wir nun die Zeit (t) mit x und den Weg (s) mit y bezeichnen, so geht das Gesetz der schiefen Ebene über in die Funktion

$$y = x^2$$

Wollen wir diese Funktion zeichnen, dann stellen wir eine Wertetabelle auf (siehe oben), die allerdings im mathematischen Sinn noch nicht vollständig ist; denn auch

$$\text{für } x = -1 \text{ wird } y = (-1)^2 = +1$$

$$\text{für } x = -2 \text{ wird } y = (-2)^2 = +4 \text{ usw.}$$

Wir haben mithin folgende Wertetabelle:

x	-4	-3	-2	-1	0	$+1$	$+2$	$+3$	$+4$
y	16	9	4	1	0	1	4	9	16

*Näheres siehe Physik-Repetitorium.

** Die Zeit- und Wegeinheiten brauchen nicht gleich zu sein.

1.2 *Scheitel und Äste.* Wir erhalten eine Kurve, deren **„Scheitel"** S im Nullpunkt des Achsenkreuzes liegt und deren **„Äste"** symmetrisch zur y-Achse verlaufen. Sie wird als *Parabel* bezeichnet (Abb. 49).

Die Kurve der Abb. 48 ist nur der rechte Ast einer Parabel.

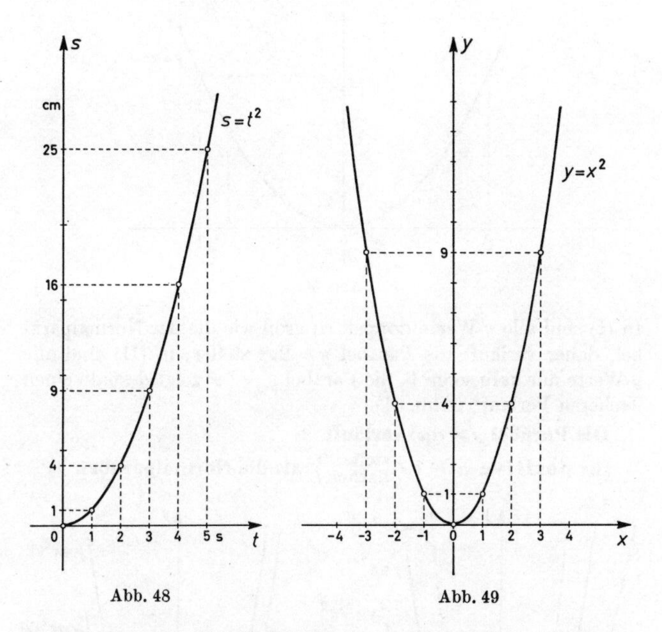

Abb. 48 Abb. 49

1.3 *Zwischenwerte.* Um die Parabel $y = x^2$ möglichst genau zeichnen zu können, müssen wir für x noch Zwischenwerte annehmen, etwa

x	± 0,5	± 1,5	± 2,5	± 3,5
y	0,25	2,25	6,25	12,25*

1.4 *Krümmung im Scheitel.* Besonders ist darauf zu achten, daß die Parabel in der Nähe des Scheitels *gekrümmt* ist und dort nicht etwa eine Spitze hat (vgl. Abb. 50, die eine 5fache Vergrößerung des Kurvenverlaufs in der Nähe des Scheitels darstellt).

x	± 0,2	± 0,4	± 0,6	± 0,8	± 1
y	0,04	0,16	0,36	0,64	1

* Rechenvorteile siehe MR 1.

2. Die Funktion $y = ax^2$

Zeichne die Funktionen (I) $y = 2x^2$ und (II) $y = \frac{1}{2}x^2$.

(I)

x	0	± 1	± 2	± 3
y	0	2	8	18

(II)

x	0	± 1	± 2	± 3
y	0	$\frac{1}{2}$	2	$4\frac{1}{2}$

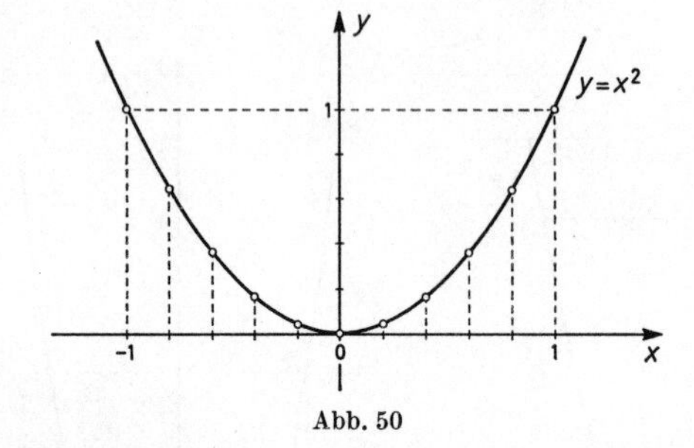

Abb. 50

In (I) sind alle y-Werte doppelt so groß wie die der Normalparabel, daher verläuft die Parabel $y = 2x^2$ steiler; in (II) sind alle y-Werte nur halb so groß, die Parabel $y = \frac{1}{2}x^2$ zeigt deshalb einen flacheren Verlauf* (Abb. 51).

Die Parabel $y = ax^2$ verläuft
für positive $a \gtrless 1$ $\left\{ \begin{matrix} \text{steiler} \\ \text{flacher} \end{matrix} \right\}$ als die Normalparabel.

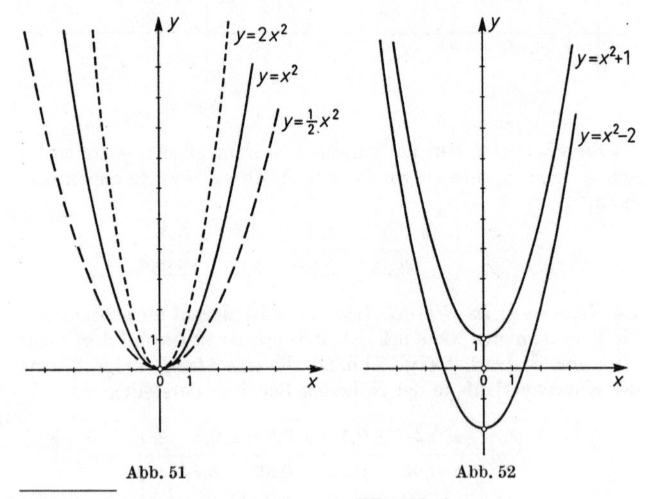

Abb. 51 Abb. 52

* Vgl. die Geraden $y = mx$ und $y = x$ in MR 22, § 16.

3. Die Funktion $y = x^2 + q$

Wir zeichnen die Funktionen $y = x^2 + 1$ und $y = x^2 - 2$.

x	0	± 1	± 2	± 3
y	1	2	5	10

x	0	± 1	± 2	± 3
y	-2	-1	2	7

Die beiden Parabeln sind der Normalparabel kongruent, sie sind lediglich längs der y-Achse um 1 Einheit nach oben bzw. um 2 Einheiten nach unten verschoben, denn alle y-Werte sind um 1 größer bzw. um 2 kleiner als die der Normalparabel* (Abb. 52).

4. Die Funktion $y = ax^2 + c$

Zeichne die Parabeln (III) $y = 2x^2 - 3$, (IV) $y = \frac{1}{2}x^2 + 2$.

Die Parabel $\begin{Bmatrix} \text{III} \\ \text{IV} \end{Bmatrix}$ ist der Parabel $\begin{Bmatrix} \text{I} \\ \text{II} \end{Bmatrix}$ in Abb. 51 kongruent und um $\begin{Bmatrix} 3 \\ 2 \end{Bmatrix}$ Einheiten nach $\begin{Bmatrix} \text{unten} \\ \text{oben} \end{Bmatrix}$ verschoben.

5. Die Funktion $y = x^2 + px + q$

Wir zeichnen die Funktion $y = x^2 - 6x + 5$.

x	-1	0	1	2	3	4	5	6	7
y	12	5	0	-3	-4	-3	0	5	12
			N		S		N		

Aus der Wertetabelle erkennt man, daß jeweils zu zwei x-Werten derselbe y-Wert gehört (z. B. für $x = -1$ *und* für $x = 7$ ist $y = 12$). Ferner hat y für $x = 3$ seinen kleinsten Wert ($y = -4$). Die Abb. 53 zeigt, daß $(3; -4)$ die Koordinaten des Scheitels S sind. Im übrigen ist die Parabel der Normalparabel kongruent. Sie schneidet die x-Achse zweimal, nämlich bei **+ 1** und bei **+ 5**. Die Schnittpunkte der Parabel mit der x-Achse nennt man die *Nullstellen* (N) der Funktion.

6. Die Funktion $y = ax^2 + bx + c$

Zeichne die Funktion $y = 2x^2 - 3x - 2$.

x	3 $-1,5$	2,5 -1	2 $-0,5$	1,5 0	1 0,5	0,75
y	7	3	0 N	-2	-3	$-3\frac{1}{8}$ S

* Vgl. die Geraden $y = mx + q$ und $y = mx$ in MR 22, § 16.

Die gezeichnete Parabel (Abb. 54) ist der Parabel $y = 2x^2$ kongruent; ihre Scheitelkoordinaten sind S (0,75; $-3\frac{1}{8}$), ihre Nullstellen liegen bei **2** und **– 0,5.**

Zum Vergleich zeichnen wir jetzt die Parabel $y = x^2 - \frac{3}{2}x - 1$, die aus der obigen Funktion dadurch hervorgeht, daß wir die rechte Seite durch 2 dividieren. Die neue Parabel ist der Parabel

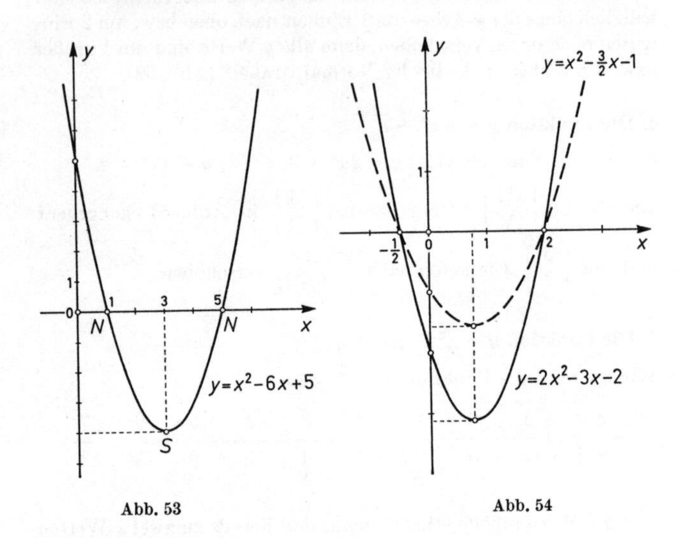

Abb. 53 Abb. 54

$y = x^2$ kongruent. Alle y-Werte sind nur halb so groß wie die der ersten Parabel (auch die Ordinate des Scheitels!). Die Abszisse des Scheitels dagegen ist dieselbe; auch die *Lage der Nullstellen hat sich nicht geändert!*

7. Die Funktionen $y = -ax^2 + bx + c$

7.1 $y = -x^2$. Da x^2 stets positiv ist, so ist y immer negativ. Diese Parabel ist also das Spiegelbild von $y = x^2$ in bezug auf die x-Achse.

7.2 $y = -\frac{1}{2}x^2$ liegt in bezug auf die x-Achse spiegelbildlich zu $y = \frac{1}{2}x^2$.

7.3 $y = -x^2 - 1 = -(x^2 + 1)$ und
$y = -x^2 + 2 = -(x^2 - 2)$

sind die Spiegelbilder der in Abb. 52 gezeichneten Parabeln.

7.4 $y = -x^2 + 6x - 5 = -(x^2 - 6x + 5)$
ist das Spiegelbild der Parabel in Abb. 53.

7.5 $y = -2x^2 + 3x + 2 = -(2x^2 - 3x - 2)$
liegt spiegelbildlich zur Parabel I in Abb. 54.

Zeichne die vorstehenden Funktionen! Wegen der Symmetrie zur x-Achse haben diese Parabeln die gleichen Nullstellen wie die Parabeln der Abb. 53 und 54.

8. Tangente

an die Parabel $y = ax^2 + bx + c$ im Punkt $T(\xi; \eta)$.
Wir bringen die Parabel zunächst mit der Geraden $y = mx + n$ zum Schnitt:

$$ax^2 + bx + c = mx + n$$

daraus $ax^2 - (m - b)x - (n - c) = 0$

oder $$x^2 - \frac{m-b}{a}x - \frac{n-c}{a} = 0$$

Nun verschieben wir die Gerade mit der Steigung m so lange parallel, bis sie zur Tangente im Punkt T wird (Abb. 55).

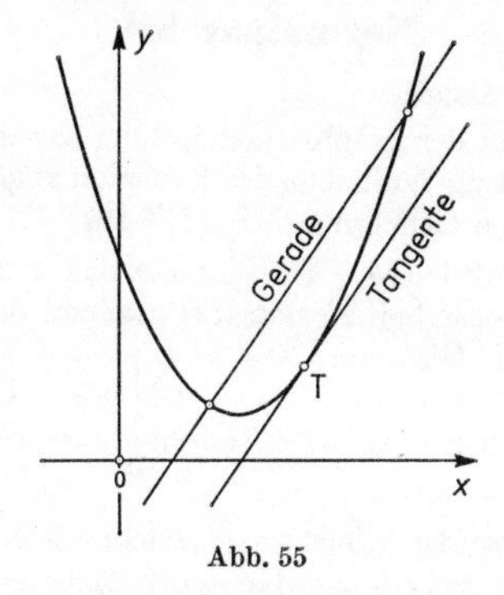

Abb. 55

Dann ist $x = \xi$ eine Doppellösung unserer Gleichung, also nach

VIETA: $2\xi = \dfrac{m-b}{a}$, mithin $m = 2a\xi + b$.

Die Parabel $y = ax^2 + bx + c$ hat in einem Punkt mit der Abszisse ξ die Steigung

(79.1) $$\mathbf{m = 2a\xi + b}$$

Aufgaben:

45. In welchem Punkt T hat die Tangente an die Parabel

$y = \frac{5}{4}x^2 - 3x + 1$ die Steigung $m = -\frac{1}{2}$?

Ergebnis: $\xi = \frac{m - b}{2a} = 1$; $\quad \eta = -\frac{3}{4}$

46. In welchen Punkten berühren die vom Punkt $P_0\,(0;\,-q)$ an die Parabel $y = ax^2 + bx + c$ gezogenen Tangenten?

Spezielle Aufgabe: $q = 6$; $\quad y = 2\frac{1}{2}x^2 - 4\frac{1}{2}x + 4$

Tangente: $y = mx - q$ mit $m = 2ax + b$

also $\quad y = (2ax + b)\,x - q = 2ax^2 + bx - q$

Parabel: $\quad y = ax^2 + bx + c$

daraus $x = \pm\sqrt{\frac{c + q}{a}} = \pm 2$; $\quad y = \begin{cases} 5 \\ 23 \end{cases}$; $\quad m = \begin{cases} +\;5{,}5 \\ -\;14{,}5 \end{cases}$

Die Tangenten $y = 5\frac{1}{2}x - 6$ und $y = -14\frac{1}{2}x - 6$ berühren die Parabel in den Punkten $(+2;\,5)$ und $(-2;\,23)$. Zeichnung!

§ 80 Das Auffinden der Nullstellen mit der Normalparabel

1. Lösung und Nullstelle

Wie wir früher bei der graphischen Lösung linearer Gleichungen gesehen haben, ist die Nullstelle der Funktion zugleich die Lösung der entsprechenden Gleichung (MR 22, § 18).

Wenn in der Funktion $y = x^2 + px + q$ das y den Wert 0 annimmt – und das ist bei der Parabel zweimal der Fall –, dann sind die aus der Gleichung $0 = x^2 + px + q$ sich ergebenden x-Werte die *Nullstellen der Parabel.* Die letzte Gleichung liefert als Bestimmungsgleichung die *Lösungen der Gleichung.*

2. Wertetabelle

Wenn wir die folgenden Gleichungen zeichnerisch lösen wollen, so stellen wir sie als Funktionen dar und fertigen eine Wertetabelle an:

$x^2 + x - 6 = 0$

$y = x^2 + x - 6$

x	-4 3	-3 2	-2 1	-1 0	$-\frac{1}{2}$
y	6	0 N	-4	-6	$-6\frac{1}{4}$ S

$x^2 + 2x - 3 = 0$

$y = x^2 + 2x - 3$

x	-4 2	-3 1	-2 0	-1
y	5	0 N	-3	-4 S

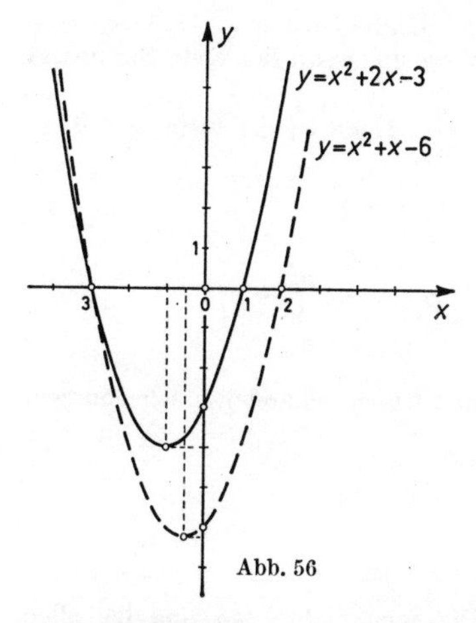

Abb. 56

Die in Abb. 56 gezeichneten Parabeln sind der Normalparabel kongruent, ihre Scheitelkoordinaten sind $S(-\frac{1}{2}; -6\frac{1}{4})$ bzw. $S(-1; -4)$. Die Nullstellen liegen bei **− 3** und **+ 2** bzw. bei **− 3** und **+ 1**, und das sind auch die Lösungen der gegebenen Gleichungen.

3. Parabellineal

Da die in Abb. 53 und 56 gezeichneten Parabeln $y=x^2+px+q$ der Normalparabel $y = x^2$ kongruent sind, schneiden wir uns eine *genau* gezeichnete Normalparabel* aus steifem Papier aus und benutzen sie künftig als „Parabellineal". Wir ersparen uns dann die Aufstellung einer Wertetabelle und haben lediglich die Lage des Scheitels (S) zu ermitteln.

4. Scheitelkoordinaten

Die folgenden Gleichungen haben wir in § 69 durch quadratische Ergänzung gelöst

$$x^2 - 6x + 5 = 0 \qquad x^2 + x - 6 = 0 \qquad x^2 + 2x - 3 = 0$$

$$\text{(I)} \qquad (x - 3)^2 = 4 \qquad (x + \tfrac{1}{2})^2 = 6\tfrac{1}{4} \qquad (x + 1)^2 = 4$$

Vergleicht man hiermit die in den Wertetabellen § 79.5 und § 80.2 angegebenen Scheitelkoordinaten:

$$(+3; -4) \qquad (-\tfrac{1}{2}; -6\tfrac{1}{4}) \qquad (-1; -4)$$

so erkennt man, daß sie unmittelbar aus den Gleichungen (I) entnommen werden können, wobei darauf zu achten ist, daß beidemal das *entgegengesetzte* Vorzeichen zu wählen ist!

Begründung: Wir schreiben die Funktion $y = x^2 + px + q$ in der Form

$$y = \left(x + \frac{p}{2}\right)^2 - \left(\frac{p^2}{4} - q\right)$$

---

* Vgl. Abb. 50.

Der erste Summand kann als Quadrat nie negativ werden; y nimmt also seinen kleinsten Wert an, wenn der erste Summand gleich Null ist, also für $x = -\frac{p}{2}$. Dann ist der kleinste y-Wert (also die Scheitelordinate) $y = -\left(\frac{p^2}{4} - q\right)$

Scheitel: $$x_S = -\frac{p}{2}, \quad y_S = -\left(\frac{p^2}{4} - q\right)$$

47. Löse zur Übung einige der früher behandelten Gleichungen mit der Normalparabel!

48. Löse die Gleichungen

(I) $x^2 - 8x + 12 = 0$ (II) $x^2 - 8x + 16 = 0$ (III) $x^2 - 8x + 17 = 0$

mit der Normalparabel! – Die Scheitelabszissen sind bei allen drei Parabeln $x_s = 4$; ferner ist $y_s =$

$-(4^2 - 12) = -4$ $\qquad -(4^2 - 16) = 0$ $\qquad -(4^2 - 17) = +1.$

Als Nullstellen lesen wir ab (Abb. 57):

$x_1 = 2, \quad x_2 = 6$ $\qquad x_1 = x_2 = 4$ $\qquad$ keine Nullstellen.

Der Scheitel von (II) liegt bei (4;0), also *auf* der x-Achse, d.h., die Parabel berührt die x-Achse im Punkt $x = 4$ (Doppellösung!).

Der Scheitel von (III) liegt bei (4;1), also *über* der x-Achse, d. h., es sind keine Nullstellen vorhanden: die Gleichung besitzt keine reellen Lösungen*.

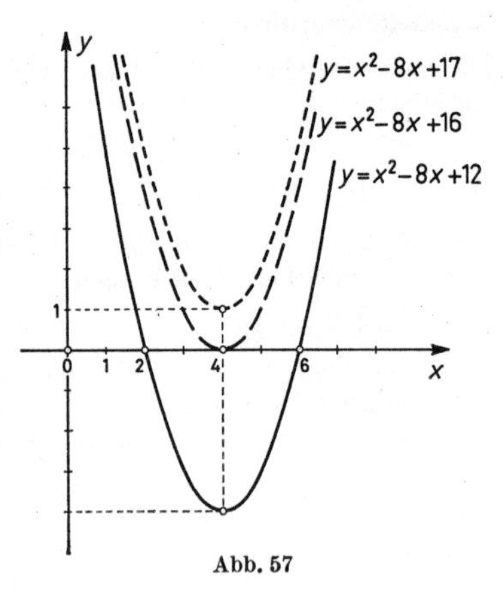

Abb. 57

* Die Berechnung führt zu den konjugiert komplexen Lösungen $4 \pm i$.

5. Anzahl der Nullstellen*

Für $\frac{p^2}{4} - q$	ist y_S	Scheitel bezogen auf die x-Achse	Nullstellen (Lösungen)
> 0	< 0	unter	2 (verschiedene)
$= 0$	$= 0$	auf	1 (2 gleiche)
< 0	> 0	über	0 (2 konj. kompl.)

49. $16x^2 - 24x - 7 = 0$

Nach dem in § 79.2 Gesagten sind alle Ordinaten der Funktion $y = x^2 + \frac{b}{a}x + \frac{c}{a}$ nur den a-ten Teil so groß wie die der Ausgangsfunktion $y = ax^2 + bx + c$, während die Abszisse des Scheitels und die Lage der Nullstellen dieselben sind (vgl. Abb. 54). Wir können daher auch die allgemeine quadratische Gleichung mit der Normalparabel lösen, indem wir zunächst durch den Koeffizienten von x^2 dividieren und dann aus der Normalform die Scheitelkoordinaten ablesen.

$$y = x^2 - \tfrac{3}{2}x - \tfrac{7}{16}$$

$$x_S = +\tfrac{3}{4}; \quad y_S = -\left(\tfrac{9}{10} + \tfrac{7}{16}\right) = -1$$

Nullstellen ablesen (Abb. 58): $\boldsymbol{x_1 = 1\frac{3}{4}, x_2 = -\frac{1}{4}}$

6. Lösungsgang

Alle quadratischen Gleichungen lassen sich mit der Normalparabel lösen. Man ermittelt zunächst die Koordinaten des Scheitels S:

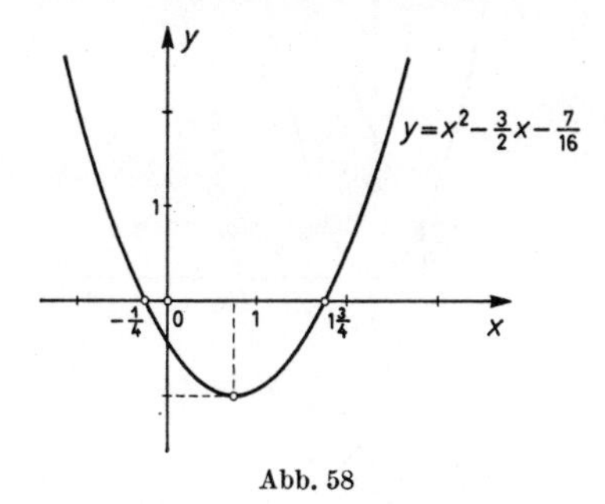

Abb. 58

* Vergleiche hiermit das Vorzeichen der Diskriminante in § 74.

$S\left(-\frac{p}{2}; -\frac{p^2}{4} - q\right)$, legt das Parabellineal an, zeichnet die Parabel (nach oben geöffnet) und liest die Nullstellen ab.
Liegt die Gleichung nicht in der Normalform vor, so dividiert man zuvor durch den Koeffizienten von x^2.

§ 81 Lösungsverfahren mit fester Parabel und einer Geraden

Die quadratischen Gleichungen lassen sich zeichnerisch auch noch auf eine zweite Art lösen, und zwar mit der *festliegenden Normalparabel* $y = x^2$.

Beispiel: In der Gleichung $x^2 - 2x - 3 = 0$ mit den Lösungen $+3$ und -1 bringen wir die nichtquadratischen Glieder nach rechts:

$$x^2 = 2x + 3$$

Setzen wir nun die linke Seite dieser Gleichung gleich y, also

$$\text{(I)} \qquad y = x^2$$

so müssen wir auch die rechte Seite gleich y setzen, also

$$\text{(II)} \qquad y = 2x + 3$$

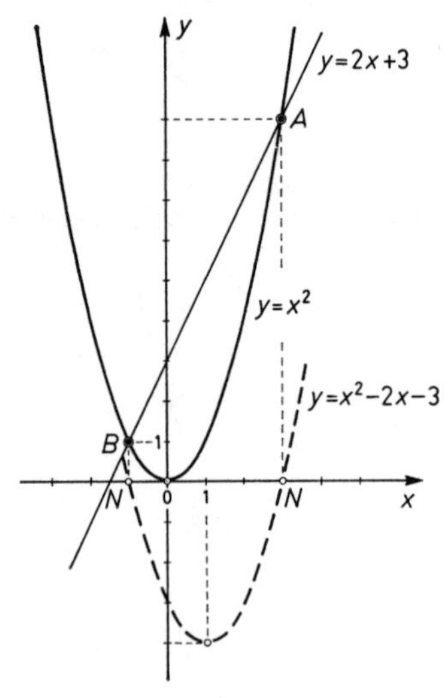

Abb. 59

Die Funktion (I) ist die Normalparabel, die festliegt, die Funktion (II) ist eine Gerade, die sich leicht zeichnen läßt.

Wie aus Abb. 59 zu ersehen ist, haben die Schnittpunkte der Geraden mit der Normalparabel die Abzissen $+3$ (A) und -1 (B), und das sind die Lösungen unserer quadratischen Gleichung!

Ergebnis: Bringt man in der Normalform einer quadratischen Gleichung die nichtquadratischen Glieder auf die rechte Seite und faßt dann beide Seiten der neuen Gleichung als Funktionen auf (Normalparabel und Gerade), so ergeben die Abszissen ihrer Schnittpunkte die Lösungen der quadratischen Gleichung.

Beweis: Wir stellen die gegebene quadratische Gleichung als Funktion dar:

(III) $$y = x^2 + px + q = x^2 - (-px - q)$$

und zerlegen sie in die Funktionen

(I) $y_P = x^2$ (Normalparabel)

(II) $y_G = -px - q$ (Gerade).

Soll $y = 0$ werden (Nullstellen von III), so muß $y_P = y_G$ sein, d. h. die Normalparabel und die Gerade müssen dieselbe Ordinate besitzen. Dies trifft aber nur für die Schnittpunkte der beiden Funktionen (I) und (II) zu.

50. Löse auf die beschriebene Art die Gleichungen

$$x^2 - 4x + 4 = 0 \quad \text{und} \quad x^2 + 1{,}5x + 1 = 0!$$

Im ersten Falle berührt die Gerade $y = 4x - 4$ die Normalparabel im Punkt (2; 4), also Doppellösung $x = 2$. Im zweiten Fall wird die Normalparabel von der Geraden $y = -1{,}5x - 1$ nicht geschnitten; die Gleichung hat also keine reellen Lösungen.

§ 82 Das HORNER-Schema

1. Übliche Berechnung der Ordinaten

Wenn man eine Funktion graphisch darstellen will, dann fertigt man eine Wertetabelle an, d. h. man berechnet für mehrere x-Werte die zugehörigen y-Werte.

$$y = 7x^2 - 3x + 8$$

Für $x = 3$ wird $y = 7 \cdot 3^2 - 3 \cdot 3 + 8 = 62$

Solange es sich um ganzzahlige Werte von x handelt, ist die Berechnung von y einfach. Wählt man dagegen auch gebrochene Werte – wie dies ja für das genaue Zeichnen des Funktionsbildes notwendig ist –, so wird die Berechnung von y schon unbequemer. Dasselbe gilt für den Fall, daß die Koeffizienten der Funktion nicht ganzzahlig sind.

Für $x = 3{,}5$ wird $y = 7 \cdot 3{,}5^2 - 3 \cdot 3{,}5 + 8 =$
$= 7 \cdot 12{,}25 - 10{,}5 + 8 =$
$= 85{,}75 - 2{,}5 =$ **83,25**

Noch ungünstiger liegen die Verhältnisse bei den Funktionen höheren Grades.

2. Ordinatenberechnung mit dem Horner-Schema

Mit einem von Horner angegebenen Schema läßt sich die Berechnung der Ordinate zu einer gegebenen Abszisse vereinfachen:

$$y = 7x^2 - 3x + 8 \quad \text{für } x = 3{,}5$$

(I)	7	– 3	8	$x = 3{,}5$
(II)	**0**	24,5	75,25	
(III)	7	21,5	83,25 = y	

Wir schreiben die Koeffizienten einschließlich des absoluten Gliedes nebeneinander (Zeile I) und rechts daneben den gewählten Wert von x (= 3,5). In Zeile II wird an erster Stelle *stets* eine *Null* geschrieben.
Nun addieren wir die erste Spalte: $7 + 0 = 7$.
Wir multiplizieren jetzt die 7 (in III) mit x, also $7 \cdot 3{,}5 = 24{,}5$, schreiben das Produkt in Zeile II unter die – 3 und addieren:

$$-3 + 24{,}5 = 21{,}5.$$

Wieder multiplizieren wir das Ergebnis mit $x = 3{,}5$, also $21{,}5 \cdot 3{,}5 = 75{,}25$*, schreiben das Produkt in Zeile II unter die 8 und erhalten bei der Addition $8 + 75{,}25 =$ **83,25,** und dieser „Randwert" ist die zu $x = 3{,}5$ gehörende Ordinate!

3. Beweis

Auf die allgemeine Funktion 2. Grades wenden wir das Horner-Schema an:

$$y = ax^2 + bx + c$$

a	b	c	x
0	ax	$ax^2 + bx$	
a	$ax + b$	$ax^2 + bx + c = y$	

4. Der Vorteil

des Horner-Schemas liegt darin, daß nur einfache Multiplikationen auszuführen sind, die selbst bei größeren Faktoren durch

* Mit Kreuzmultiplikation, MR 1, § 13.

Kreuzmultiplikation leicht bewältigt werden können. – Ein weiterer Vorteil des HORNER-Schemas wird in § 94 besprochen.

5. Der Randwert Null

Setze für die Funktion $y = 4x^2 + 5x - 6$ im HORNER-Schema die Werte $x = \frac{3}{4}$ und $x = 2$ ein!

4	5	−6	$\frac{3}{4}$
0	3	6	
4	8	0	

4	5	−6	−2
0	−8	6	
4	−3	0	

Da beidesmal der Randwert Null erscheint, so sind $\frac{3}{4}$ und -2 die Nullstellen der Funktion, d. h. die Gleichung $4x^2 + 5x - 6 = 0$ hat die Lösungen $x_1 = \frac{3}{4}$ und $x_2 = -2$.

Allgemein hat die quadratische Gleichung $ax^2 + bx + c = 0$ die Lösung x, wenn im HORNER-Schema der Randwert gleich Null ist:

a	(I)	b	(IV)	c	x
0	(II)	ax	(V)	$ax^2 + bx$	
a	(III)	$ax + b$	(VI)	$ax^2 + bx + c \to 0$	

§ 83 Zeichnerische Lösung mit dem HORNER-Schema

1. Entwicklung der Konstruktion von $ax^2 + bx + c$

Es gibt nun einen Weg, den Ausdruck $ax^2 + bx + c$ zu konstruieren, und zwar wie folgt (Abb. 60):

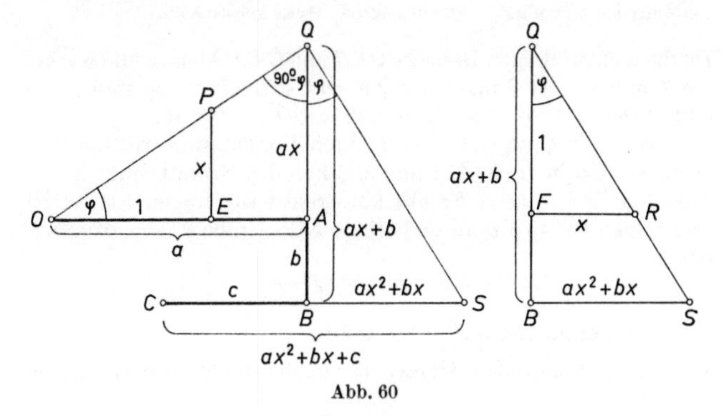

Abb. 60

Wir zeichnen a als Strecke OA nach rechts und tragen darauf die Einheit $OE = 1$ ab.

Wir zeichnen von E aus senkrecht nach oben die (zunächst beliebige) Strecke $EP = x$.

Wir verlängern OP, errichten auf OA in A das Lot und erhalten den Schnittpunkt Q.

Nun gilt für die ähnlichen Dreiecke OQA und OPE:

$$\frac{AQ}{EP} = \frac{OA}{OE} = \frac{a}{1} = a, \text{ also } AQ = EP \cdot a = x \cdot a$$

$$AQ = a \cdot x$$

Damit haben wir im HORNER-Schema die Größe $a \cdot x$ (II) gezeichnet.

Wir tragen b (I) als Strecke AB an QA an und erhalten die Größe III des HORNER-Schemas:

$$BQ = ax + b$$

Dieser Ausdruck ist nun nochmals mit x zu multiplizieren, um die Größe V im HORNER-Schema zu erhalten.

Dies könnte entsprechend wie oben geschehen: Wir tragen auf QB von Q aus die Einheit $QF = 1$ ab (rechte Zeichnung), zeichnen von F aus nach rechts die Strecke $FR = x$ in derselben Länge wie oben [$= EP$]; nun verlängern wir QR, errichten auf QB in B das Lot und erhalten den Schnittpunkt S. Für die ähnlichen Dreiecke QSB und QRF gilt nun:

$$\frac{BS}{FR} = \frac{QB}{QF} = \frac{ax + b}{1} = ax + b$$

also $BS = FR \cdot (ax + b) = x \cdot (ax + b) = ax^2 + bx$

$$BS = ax^2 + bx$$

Einfacher kann man $ax^2 + bx$ auf folgende Weise konstruieren:

Da die rechtwinkligen Dreiecke QFR und OEP kongruent (Katheten 1 und x), die Winkel $\sphericalangle FQR$ und $\sphericalangle EOP$ gleich sind ($= \varphi$) und $\sphericalangle OQA = 90° - \varphi$ ist, so muß $\sphericalangle OQS = 90°$ sein.
Wir tragen in Q an OQ einen rechten Winkel an, errichten (wie oben) auf QB in B das Lot und erhalten den Schnittpunkt S.
Nachdem $BS = ax^2 + bx$ (V) konstruiert ist, tragen wir c (IV) als Strecke BC an SB an und erhalten die Größe VI des HORNER-Schemas:

$$CS = ax^2 + bx + c$$

2. Konstruktion von $ax^2 + bx + c$

Wir fassen den *Konstruktionsgang* (zunächst für positive a, b, c) zusammen:

(1) Wir zeichnen den rechtwinkligen „Haken" $OABC$ mit $OA = a$, $AB = b$, $BC = c$, dessen Richtung im Uhrzeigersinn verläuft.

(2) Wir tragen auf OA die Einheit $OE = 1$ ab, zeichnen $x = EP$ nach oben und erhalten als Schnittpunkt von OP und BA den Punkt Q.

(3) Wir tragen in Q an OQ einen rechten Winkel an, dessen freier Schenkel die Gerade CB in S schneidet. Dann ist

$$CS = ax^2 + bx + c$$

3. Aufsuchen der Lösungen durch Probieren

Beispiel: $4x^2 + 8x + 3 = 0$ (Abb. 61a)

(1) Zeichne den rechtwinkligen Haken $OABC$ im Uhrzeigersinn mit $OA = 4$, $AB = 8$, $BC = 3$.

(2) Wir wählen $x = \frac{1}{2}$ und finden:

$AQ = ax = 2$ (II)
also $BQ = ax + b = 10$ (III)
ferner $BS = ax^2 + bx = 5$ (V)
also $CS = ax^2 + bx + c = 8$ (VI)

4	I 8	IV 3	$\frac{1}{2}$
0	II 2	V 5	
4	III 10	VI 8	

Da *nicht* der Randwert *Null* erscheint, ist $x = \frac{1}{2}$ *keine* Lösung unserer Gleichung.

(3) Wählen wir $x = 1$, so wird der Randwert noch größer, was auch die Zeichnung ohne weiteres erkennen läßt; denn für $x = 1$ rückt P und damit auch Q weiter nach oben, φ wird also größer, so daß S mehr nach rechts rückt, also CS noch größer wird (= 15)!

4	8	3	1
0	4	12	
4	12	15	

Nach der Zeichnung kann für x nur ein *negativer Wert* in Frage kommen.

(4) Wir wählen $x = -1$. Dann müssen wir von E aus die Strecke $EP = x = -1$ nach *unten* abtragen. Führen wir die Konstruktion aus, so liegt der Punkt Q jetzt zwischen A und B (Q') und der Punkt S links von C (S'), und zwar um 1 nach links. Auch der Wert $x = -1$ ist keine Lösung!

4	8	3	-1
0	-4	-4	
4	4	-1	

Eine Lösung liegt aber dann vor, wenn $CS = 0$ ist, d. h. wenn der Punkt S auf den Punkt C fällt. Dies trifft in unserer Gleichung zu für $x = -\frac{1}{2}$ und für $x = -\frac{3}{2}$ (Abb. 61b):

4	8	3	$-\frac{1}{2}$
0	-2	-3	
4	6	0	

4	8	3	$-\frac{3}{2}$
0	-6	-3	
4	2	0	

4. Prinzip des Lösungsganges

Wie nun die beiden Lösungen einer quadratischen Gleichung ohne langes Probieren gefunden werden können, erkennen wir aus der letzten Zeichnung, Abb. 61 b.

Wenn der rechtwinklige Haken $OABC$ gezeichnet ist, müssen über OC zwei *rechte Winkel* OQ_1C und OQ_2C erscheinen, deren Scheitel Q_1 und Q_2 auf AB liegen.

Da jeder Winkel im Halbkreis 90° ist (Satz des THALES), zeichnen wir über OC als Durchmesser einen Kreis, der AB in den Punkten Q_1 und Q_2 schneidet. Verbinden wir dann Q_1 und Q_2 mit O, so erhalten wir die Punkte P_1 und P_2, und damit sind dann die Lösungen gefunden:

$$x_1 = EP_1 = -\tfrac{1}{2} \quad \text{und} \quad x_2 = EP_2 = -\tfrac{3}{2}$$

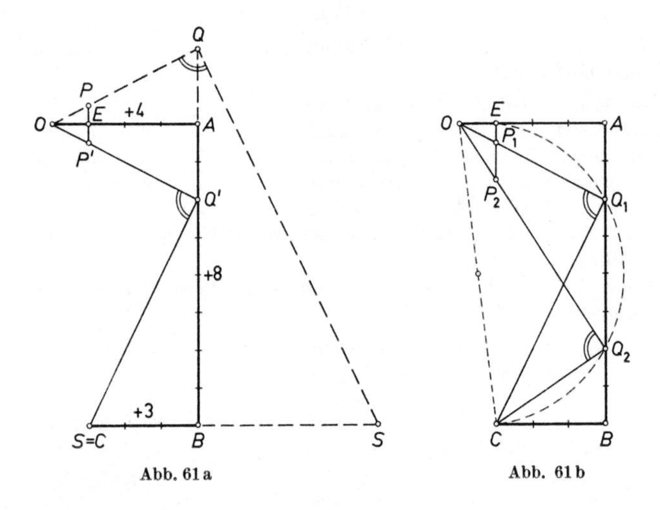

Abb. 61 a Abb. 61 b

5. Lösungsgang

(1) Wir zeichnen, am besten auf Millimeterpapier, den rechtwinkligen Haken $OABC$ im Uhrzeigersinn mit $OA = a$, $AB = b$, $BC = c$.

(2) Wir zeichnen über OC als Durchmesser einen Kreis, der AB in Q_1 und Q_2 schneidet.

(3) Wir tragen auf OA die Einheit $OE = 1$ ab.

(4) Das Lot in E schneidet die Verbindungslinien OQ_1 und OQ_2 in den Punkten P_1 und P_2. Dann sind die Lösungen:

$$x_1 = EP_1 \quad \text{und} \quad x_2 = EP_2$$

6. Vorzeichen der Koeffizienten

6.1 $2x^2 + x - 3 = 0$. Hier ist $c = -3$, deshalb muß $BC = c$ in entgegengesetzter Richtung (also nach *rechts*) gezeichnet werden (Abb. 62).

Lösungen: $x_1 = 1$ und $x_2 = -1{,}5$

6.2 $3x^2 - 6{,}5x + 3 = 0$. Hier ist $b = -6{,}5$, deshalb muß $AB = b$ nach *oben* gezeichnet werden (Abb. 63).

Lösungen: $x_1 = \frac{3}{2}$ und $x_2 = \frac{2}{3}$

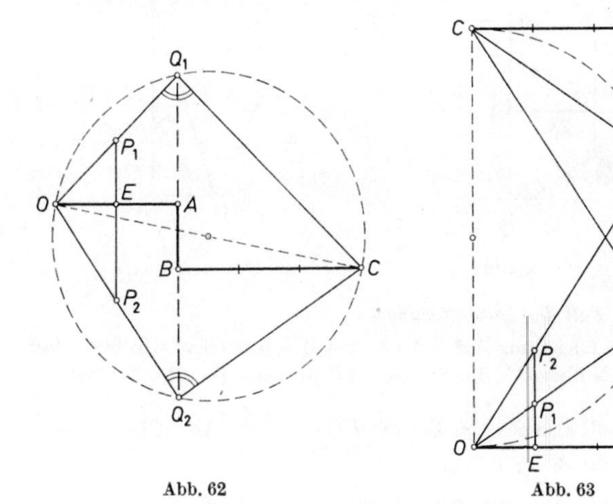

Abb. 62 Abb. 63

6.3 $2{,}4x^2 - 1{,}4x - 2 = 0$. Wegen $b = -1{,}4$ zeichne AB nach oben, wegen $c = -2$ zeichne BC nach rechts (Abb. 64).

Lösungen: $x_1 = \frac{5}{4}$ und $x_2 = -\frac{2}{3}$

Die rechtwinkligen Haken sind also den Vorzeichen von b und c entsprechend wie folgt zu zeichnen:

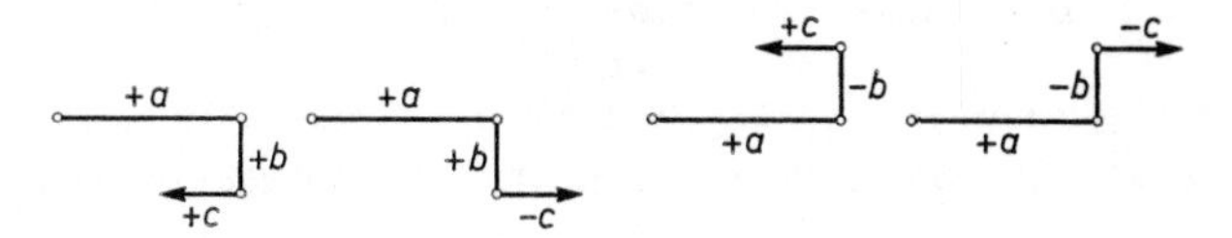

7. Die verschiedenen Fälle

7.1 *Die Normalform:* Liegt die Normalform der quadratischen Gleichung vor, so ist ja $a = OA = 1$, d. h. E fällt auf A und P_1 und P_2 fallen auf Q_1 und Q_2. Mithin sind die Strecken

$$AQ_1\,(= EP_1) = x_1 \quad \text{und} \quad AQ_2\,(= EP_2) = x_2$$

die Lösungen (Abb. 65).

Beispiel: $x^2 - 4x + 3 = 0$, mit $x_1 = 3$ und $x_2 = 1$.

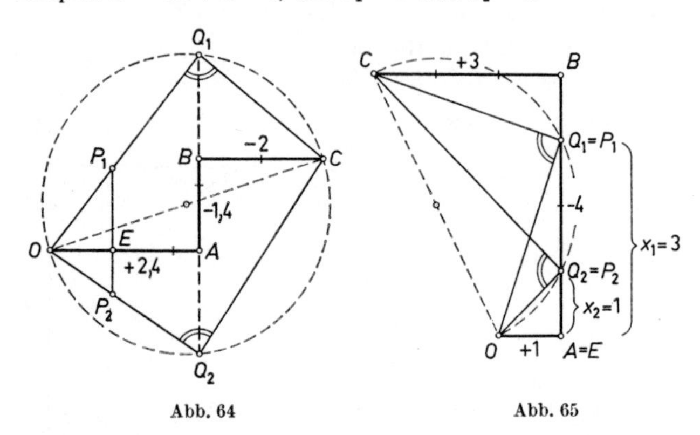

Abb. 64

Abb. 65

7.2 *Der Fall der Doppellösung:*

Für die Gleichung $4x^2 + 4\sqrt{3} \cdot x + 3 = 0$ stellen wir fest, daß der Kreis über OC die Strecke AB in *einem* Punkt Q *berührt.*

Man erhält also nur *eine* Lösung $EP = -\dfrac{\sqrt{3}}{2}$ (Abb. 66a).

Wann tritt dieser Fall ein?

Wenn AB von dem Kreis berührt wird, so ist AB eine Kreistangente. Da $OA \| CB$ und da der Radius KQ senkrecht auf der Tangente AB steht, so ist KQ die Mittellinie des Trapezes $OABC$ und Q die Mitte von AB, folglich

$$AQ = \frac{AB}{2} = \frac{b}{2}$$

Der Kreis schneidet OA in E, daher ist der $\sphericalangle OEC = 90°$, mithin $EABC$ ein Rechteck und daher

$$AE = BC = c$$

Schließlich ist ja $\quad OA = a$

Betrachten wir nun die Tangente $AQ = \dfrac{b}{2}$ und die Sekantenabschnitte $AO = a$ und $AE = c$, so ist nach dem Tangentensatz (siehe Geometrie):

$$\left(\frac{b}{2}\right)^2 = a \cdot c$$

Ergebnis: Für $\left(\frac{b}{2}\right)^2 = a \cdot c$ oder $b^2 = 4ac$ oder $b^2 - 4ac = 0$

berührt der Kreis, und die quadratische Gleichung besitzt nur *eine* Lösung. Dieser Ausdruck ist aber die *Diskriminante* (§ 74).

7.3 *Der Fall der konjugiert-komplexen Lösungen.*

Für die Gleichung $4x^2 + 6x + 3 = 0$ schneidet der Kreis die Strecke AB *nicht* (Abb. 66 b); deshalb besitzt die quadratische Gleichung *keine* (reellen) Lösungen, was offenbar daran liegt, daß $\left(\frac{b}{2}\right)^2 < ac$, hier $3^2 < 4 \cdot 3$ ist.

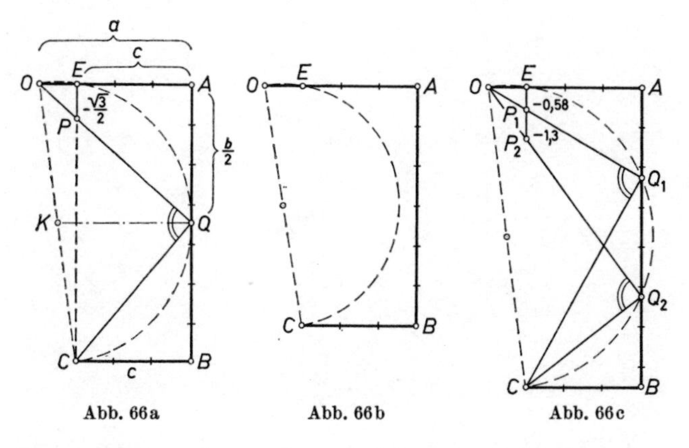

Abb. 66a Abb. 66b Abb. 66c

Für ein größeres b, etwa $b = 7,5$ (bei unverändertem a und c), wird der Kreis größer und liefert wieder *zwei* Schnittpunkte. Die Gleichung $4x^2 + 7,5x + 3 = 0$ hat die Lösungen $-1,3$ und $-0,58$ (Abb. 66c).

51. Zur Übung sind die Aufgaben unter dem Abschnitt 6 und 7 durch *eigene* Zeichnung auf Millimeterpapier zu lösen.

Bemerkung zur Genauigkeit der Konstruktion: Je kleiner die Zeichnung angefertigt wird, desto ungenauer wird die Konstruktion, weil sich jeder kleine Zeichenfehler relativ stärker auswirkt als bei einer größeren Zeichnung. Eine Konstruktion, von der man ein brauchbares Ergebnis verlangt, sollte etwa Heftgröße haben.

52. Löse folgende Gleichungen (Probe durch Rechnung und VIETA-Satz):

	Gleichung	Ergebnisse:	
(a)	$2x^2 + 11x + 14 = 0$	-2	$-3{,}5$
(b)	$10x^2 - 43x + 45 = 0$	$1{,}8$	$2{,}5$
(c)	$5x^2 + 2\frac{1}{4}x - 5 = 0$	$-1{,}25$	$0{,}8$
(d)	$x^2 - 0{,}9x - 3{,}6 = 0$	$-1{,}5$	$2{,}4$
(e)	$4x^2 + 10x + 6{,}25 = 0$	$-1{,}25$	
(f)	$x^2 - 5{,}5x + 7{,}5 = 0$	3	$2{,}5$

KUBISCHE GLEICHUNGEN

ALGEBRAISCHE LÖSUNG

§ 84 Einführung

Beispiel: Ein quaderförmiger hohler Kasten aus Aluminium (Dichte $s = 2{,}7$) mit den äußeren Abmessungen $a = 6$ dm, $b = 5$ dm, $h = 4$ dm sinkt in Wasser $t = 3{,}6$ dm tief ein. Wie dick ($\frac{1}{2}x$) ist die Wandung?

Nach dem Archimedischen Gesetz ist das Gewicht (G) eines schwimmenden Körpers gleich dem Gewicht (W) des von ihm verdrängten Wassers:

$$G = V \cdot s = 2{,}7\,V; \quad W = a \cdot b \cdot t = 108; \quad \text{also} \quad V = 40$$

Aus $V = a \cdot b \cdot h - (a - x)(b - x)(h - x) = x^3 - 15x^2 + 74x = 40$ erhält man die Gleichung

$$x^3 - 15x^2 + 74x - 40 = 0$$

1. Die allgemeine kubische Gleichung

In der vorstehenden Gleichung tritt die Unbekannte in der 3. Potenz als der höchsten Potenz auf. Eine solche Gleichung heißt *Gleichung 3. Grades* oder *kubische Gleichung.* Sie enthält im allgemeinen vier Glieder: ein kubisches, ein quadratisches, ein lineares und ein absolutes Glied, hat also die allgemeine Form

$$Ax^3 + Bx^2 + Cx + D = 0$$

Außer dem Koeffizienten A können alle übrigen Koeffizienten auch den Wert Null besitzen (§ 85).

2. Die Normalform

Dividieren wir die allgemeine Gleichung durch A, also

$$x^3 + \frac{B}{A}x^2 + \frac{C}{A}x + \frac{D}{A} = 0$$

so erhalten wir, wenn wir die Brüche mit kleinen Buchstaben abkürzen, die *Normalform* der kubischen Gleichung

$$\mathbf{x^3 + ax^2 + bx + c = 0} \qquad (84.1)$$

3. Das Auffinden der Lösung durch Probieren

Gleichung des Beispiels: $x^3 - 15x^2 + 74x - 40 = 0$

Für $x = 0$ hat die rechte Seite den Wert -40;

für $x = 1$ hat die rechte Seite den Wert $+20$.

Der Wert von x liegt also zwischen 0 und 1, und zwar offenbar näher bei 1 als bei 0.
Für $x = 0{,}6$ hat die rechte Seite den Wert $-0{,}784$; mithin ist x noch etwas größer als 0,6.

Durch weiteres Probieren findet man $x = 0{,}614$.
Antwort: Der Kasten hat eine Wandstärke von 0,307 dm.

Probe. Innere Abmessungen: 5,386 dm, 4,386 dm, 3,386 dm; inneres Volumen $= 80\ \text{dm}^3$, äußeres Volumen $= 120\ \text{dm}^3$, also Volumen des Aluminiums $= 40\ \text{dm}^3$ (wie oben).

§ 85 Sonderfälle

1. Das absolute Glied fehlt ($c = 0$)

Beispiele. ① $x^3 - 2x^2 - 15x = 0$

Wir klammern x aus: $x(x^2 - 2x - 15) = 0$

Ein Produkt hat den Wert Null, wenn einer der Faktoren gleich Null ist, also

$$x_1 = \mathbf{0} \quad \text{und} \quad x^2 - 2x - 15 = 0$$
$$x_2 = \mathbf{5} \qquad x_3 = \mathbf{-3}$$

② $x^3 - 6x^2 + 25x = 0$ oder $x(x^2 - 6x + 25) = 0$

$$x_1 = \mathbf{0}; \quad x_{2,3} = 3 \pm \sqrt{9 - 25} = \mathbf{3 \pm 4i}$$

③ $x^3 - 8x^2 + 16x = 0$ oder $x(x^2 - 8x + 16) = 0$

$$x_1 = \mathbf{0}; \quad x_{2,3} = 4 \pm \sqrt{16 - 16} = 4 \pm 0 = \mathbf{4}$$

Die kubische Gleichung, in der das absolute Glied fehlt, hat stets eine Lösung $x_1 = 0$, sowie 2 reelle oder 2 konjugiert-komplexe Lösungen; die beiden reellen Lösungen können auch gleich sein (Doppellösung; vgl. § 91).

2. Die rein-kubische Gleichung ($a = 0$ und $b = 0$)
hat stets eine reelle Lösung:

④ $x^3 + 27 = 0$ ⑤ $x^3 - 64 = 0$

$$x = \sqrt[3]{-27} = \mathbf{-3} \qquad x = \sqrt[3]{64} = \mathbf{4}$$

Über die konjugiert-komplexen Lösungen dieser Gleichung siehe § 86.5.

§ 86 Untersuchung der Normalform

1. Anzahl der Lösungen

Die Beispiele ① und ② in § 85 lassen die Frage berechtigt erscheinen, ob jede kubische Gleichung *drei* Lösungen besitzt.

Beispiel. Die Lösungen einer kubischen Gleichung seien $x = 2$; $x = 3$; $x = 5$. Wie lautet die kubische Gleichung?

Es ist $x - 2 = 0$; $x - 3 = 0$; $x - 5 = 0$; also ist auch

$$(x - 2)(x - 3)(x - 5) = 0$$

Durch Ausmultiplizieren der Linearfaktoren erhalten wir die kubische Gleichung

$$x^3 - 10x^2 + 31x - 30 = 0$$

Die vorgegebenen Lösungen erfüllen diese Gleichung:

$$\begin{aligned} 8 - 40 + 62 - 30 &\equiv 0 \\ 27 - 90 + 93 - 30 &\equiv 0 \\ 125 - 250 + 155 - 30 &\equiv 0 \end{aligned}$$

2. Allgemeine Untersuchung

Hat die kubische Gleichung die Lösungen α, β und γ, so ist

$$(x - \alpha)(x - \beta)(x - \gamma) = 0, \quad \text{daraus}$$

(86.1) $$x^3 - \underbrace{(\alpha + \beta + \gamma)}_{-a} x^2 + \underbrace{(\alpha\beta + \beta\gamma + \gamma\alpha)}_{b} x - \underbrace{\alpha\beta\gamma}_{-c} = 0$$

Aus drei vorgegebenen Lösungen läßt sich eine kubische Gleichung *aufbauen.* Hieraus folgt: Eine kubische Gleichung hat nicht mehr als drei Lösungen.

3. Der Wurzelsatz von Vieta

Durch Vergleich der vorstehenden kubischen Gleichung mit der Normalform

$$x^3 + ax^2 + bx + c = 0$$

ergibt sich der Satz von Vieta:

(86.2) **Die Summe der drei Lösungen $(\alpha + \beta + \gamma)$ ist gleich dem negativen Koeffizienten $(-a)$ des quadratischen Gliedes.**

(86.3) **Der Koeffizient (b) des linearen Gliedes ist die Summe der drei Produkte aus je zwei Lösungen $(\alpha \cdot \beta + \beta \cdot \gamma + \gamma \cdot \alpha)$.**

(86.4) **Das Produkt der drei Lösungen $(\alpha \cdot \beta \cdot \gamma)$ ist gleich dem negativen absoluten Glied $(-c)$.**

Für die *Probe* kommen die Sätze (86.2) und vor allem (86.4) in Betracht.

4. Faktorenzerlegung

Beispiele. ① $x^3 - 2x^2 - 19x + 20 = 0$

Die Gleichung hat die sofort erkennbare Lösung $x = 1$*; es ist also $x - 1 = 0$.

* $1 + 20 - 2 - 19 = 0$.

Da die kubische Gleichung das Produkt aus drei Linearfaktoren ist, so muß sie durch den einen Linearfaktor $(x - 1)$ ohne Rest teilbar sein:

$$(x^3 - 2x^2 - 19x + 20) : (x - 1) = x^2 - x - 20^*$$

Die kubische Gleichung kann also in das Produkt aus einem linearen und einem quadratischen Ausdruck zerlegt werden:

$$(x - 1) \cdot (x^2 - x - 20) = 0$$

Den gleich Null gesetzten quadratischen Ausdruck nennen wir die *quadratische Restgleichung.* Aus ihr erhalten wir die beiden anderen Lösungen $x = 5$ und $x = -4$.

② $x^3 - 9x^2 + 33x - 65 = 0$

Die Lösung $x = 5$ sei bekannt. Man berechne die beiden anderen Lösungen durch Faktorenzerlegung!

Aus der quadratischen Restgleichung $x^2 - 4x + 13 = 0$ erhält man $x = 2 \pm 3i$.

5. Einheitswurzeln

③ $$x^3 - 1 = 0$$

Es ist also $x^3 = 1$ oder $x = \sqrt[3]{1} = 1$.

Wir dividieren die Gleichung durch $x - 1$:

$$(x^3 - 1) : (x - 1) = x^2 + x + 1$$

Die quadratische Restgleichung $x^2 + x + 1 = 0$ liefert noch die beiden konjugiert-komplexen Lösungen

$$x_{2,3} = \frac{-1 \pm i\sqrt{3}}{2}$$

Die dritte Wurzel aus + 1 hat die drei Lösungen

$$\text{(86.5)} \quad \epsilon_1 = +1; \quad \epsilon_2 = \frac{-1 + i\sqrt{3}}{2}; \quad \epsilon_3 = \frac{-1 - i\sqrt{3}}{2}$$

Aufgaben

53. Man bestätige, daß $\varepsilon_2^3 = \varepsilon_3^3 = 1$ ist!

$$\left[\frac{-1 \pm i\sqrt{3}}{2}\right]^3 = \frac{1}{8}\left(-1 \mp 3i\sqrt{3} - 9i^2 \mp 3\,i^3\sqrt{3}\right)$$

$$= \frac{1}{8}\left(-1 + 9 - 3i\,\underbrace{(1 + i^2)}_{0}\right) = \frac{8}{8} = 1$$

---

* Über die Division von Polynomen siehe MR 22, § 11.

54. Man zeige, daß $\varepsilon_2 \cdot \varepsilon_3 = 1$; $\varepsilon_2 = \varepsilon_3^2$; $\varepsilon_3 = \varepsilon_2^2$ ist!

$$\varepsilon_2 \cdot \varepsilon_3 = \frac{-1 + i\sqrt{3}}{2} \cdot \frac{-1 - i\sqrt{3}}{2} = \frac{1 - 3i^2}{4} = \frac{1+3}{4} = 1$$

$$\varepsilon_2^2 = \frac{1 - 2i\sqrt{3} + 3i^2}{4} = \frac{1 - 2i\sqrt{3} - 3}{4} = \frac{-1 - i\sqrt{3}}{2} = \varepsilon_3$$

55. Die Lösungen von $\sqrt[3]{-1}$ sind anzugeben.

Die dritte Wurzel aus -1 hat die drei Lösungen

$$\boldsymbol{\epsilon_1 = -1; \quad \epsilon_2 = \frac{1 + i\sqrt{3}}{2}; \quad \epsilon_3 = \frac{1 - i\sqrt{3}}{2}} \tag{86.6}$$

6. Die drei möglichen Fälle

Die Beispiele in §§ 85 und 86 haben gezeigt, daß eine kubische Gleichung drei Lösungen besitzt. Eine Lösung ist stets *reell* (sie kann auch den Wert Null haben); die beiden anderen sind entweder reell und verschieden, reell und gleich oder konjugiert-komplex.

Beweis

Eine kubische Gleichung entsteht durch Multiplikation eines linearen mit einem quadratischen Ausdruck (siehe 4):

$$(x - \alpha)(x^2 + px + q) = 0$$

$$x^3 + \underbrace{(p - \alpha)}_{a} x^2 + \underbrace{(q - \alpha p)}_{b} x + \underbrace{(-\alpha q)}_{c} = 0$$

Diese Gleichung hat die Lösungen

$$x_1 = \alpha \quad \text{und} \quad x_{2,3} = \frac{-p \pm \sqrt{p^2 - 4q}}{2}$$

$$x_2 \text{ und } x_3 \text{ sind } \left\{ \begin{array}{l} \text{reell und verschieden} \\ \text{reell und gleich} \\ \text{konjugiert-komplex} \end{array} \right\} \text{ für } p^2 \gtreqless 4q$$

Dabei ist $x_2 + x_3 = -p$ (reell) und $x_2 \cdot x_3 = q$ (reell). Hat die kubische Gleichung – wie wir voraussetzen – reelle Koeffizienten (a, b, c), so ist auch $x_1 = \alpha$ eine reelle Zahl:

$$\alpha = p - a \quad \text{oder} \quad \alpha = \frac{q - b}{p} \quad \text{oder} \quad \alpha = -\frac{c}{q}$$

§ 87 Die reduzierte kubische Gleichung

Vorbemerkung. In den bisher betrachteten kubischen Gleichungen war eine Lösung bekannt oder leicht erkennbar; dann konnten die beiden anderen Lösungen aus der quadratischen Restgleichung gefunden werden. Ist die „erste" Lösung nicht ganzzahlig, so ist man auf ein langwieriges Probieren angewiesen. Es erhebt sich die Frage, ob sich für die Lösungen einer kubischen Gleichung eine *Formel* aufstellen läßt.

1. Definition

Die kubische Gleichung, in der das quadratische Glied fehlt ($a = 0$), wird als reduzierte Gleichung* bezeichnet, weil sich die Normalform auf die reduzierte Form „zurückführen" läßt.

2. Die Reduktion

In der Normalform $x^3 + ax^2 + bx + c = 0$ substituieren wir zunächst $x = z + k$:

$$z^3 + 3kz^2 + 3k^2z + k^3 + az^2 + 2akz + ak^2 + bz + bk + c = 0$$

$$z^3 + (3k + a)\,z^2 + (3k^2 + 2ak + b)\,z + (k^3 + ak^2 + bk + c) = 0$$

Damit das quadratische Glied wegfällt, muß sein:

$$3k + a = 0 \quad \text{oder} \quad k = -\frac{a}{3}$$

Durch die Substitution $x = z - \frac{a}{3}$ wird das quadratische Glied zum Verschwinden gebracht:

$$\left(z - \frac{a}{3}\right)^3 + a\left(z - \frac{a}{3}\right)^2 + b\left(z - \frac{a}{3}\right) + c = 0$$

$$z^3 - az^2 + \frac{a^2 z}{3} - \frac{a^3}{27} + az^2 - \frac{2a^2 z}{3} + \frac{a^3}{9} + bz - \frac{ab}{3} + c = 0$$

$$z^3 + \underbrace{\left(-\frac{a^2}{3} + b\right)}_{p} z + \underbrace{\left(\frac{2}{27}a^3 - \frac{ab}{3} + c\right)}_{q} = 0$$

Die reduzierte kubische Gleichung hat die Form

(87.1) $$\mathbf{z^3 + pz + q = 0}$$

Man erhält sie aus der Normalform (84) durch die Substitution

(87.2) $$\mathbf{x = z - \frac{a}{3}}$$

* lat. *reducere* = zurückführen.

Beispiele. ① $x^3 - 6x^2 - 7x + 5 = 0$

Mit $x = z + 2$ erhält man

$$z^3 + 6z^2 + 12z + 8 - 6z^2 - 24z - 24 - 7z - 14 + 5 = 0$$

$$z^3 - 19z + 25 = 0$$

② $x^3 - 9x^2 + 23x - 15 = 0$

Mit $x = z + 3$ ergibt sich $z^3 - 4z = 0$

In diesem Fall ist auch das absolute Glied weggefallen.

3. Vorteile

Die reduzierte kubische Gleichung gestattet

1. das Aufstellen einer Formel (§§ 88 und 90),
2. die zeichnerische Lösung kubischer Gleichungen mit der Wendeparabel und einer Geraden (§ 100);
3. einen einfachen Lösungsweg mit dem Rechenschieber, auf den wir hier nicht eingehen*.

§ 88 Die Formel von CARDANO**

1. Ableitung der Formel

In der reduzierten kubischen Gleichung

(I) $$z^3 + pz + q = 0$$

setzen wir

(II) $$z = u + v$$

und erhalten

$$u^3 + 3u^2v + 3uv^2 + v^3 + p(u + v) + q = 0 \quad \text{oder}$$

(III) $$u^3 + v^3 + q + (u + v)(3uv + p) = 0$$

Wir fordern zweckmäßigerweise, daß der Koeffizient von $u + v$ gleich Null wird, also

$$3uv + p = 0 \quad \text{oder}$$

(IV) $$uv = -\frac{p}{3}$$

Dann geht (III) über in $u^3 + v^3 + q = 0$ oder

(V) $$u^3 + v^3 = -q$$

dazu (IV) $$uv = -\frac{p}{3}$$

* Man vergleiche die Anleitungen zum Gebrauch des Rechenschiebers!

** Nach HIERONIMO CARDANO (1501—1576) benannt; der eigentliche Entdecker der Formel ist SCIPIONE DEL FERRO (1465—1526).

Durch diese beiden Gleichungen sind u und v bestimmt. Wir erheben (V) in die 2. Potenz und (IV) in die 3. Potenz:

$$\begin{array}{rl|l} u^6 + 2u^3v^3 + v^6 = q^2 & & \\ u^3v^3 = -\dfrac{p^3}{27} & & -4 \end{array}$$

Durch Addition der mit -4 multiplizierten zweiten Gleichung zur ersten Gleichung erhalten wir

$$u^6 - 2u^3v^3 + v^6 = q^2 + \frac{4}{27}p^3$$

$$(u^3 - v^3)^2 = 4\left(\frac{q^2}{4} + \frac{p^3}{27}\right)$$

$$\begin{array}{lr|c|c} & u^3 - v^3 = 2\sqrt{\dfrac{q^2}{4} + \dfrac{p^3}{27}} & + & - \\ \text{dazu (V)} & u^3 + v^3 = -q & + & + \end{array}$$

$$u^3 = -\frac{q}{2} + w; \quad v^3 = -\frac{q}{2} - w; \quad \text{mit} \quad w = \sqrt{\left(\frac{q}{2}\right)^2 + \left(\frac{p}{3}\right)^3}$$

$$\boldsymbol{u = \sqrt[3]{-\frac{q}{2} + w} \equiv s \quad ; \quad v = \sqrt[3]{-\frac{q}{2} - w} \equiv d}$$

Mit den dritten Wurzeln aus der Einheit (86.5)

$$\varepsilon_1 = 1; \quad \varepsilon_2 = -\frac{1}{2} + \frac{i}{2}\sqrt{3}; \quad \varepsilon_3 = -\frac{1}{2} - \frac{i}{2}\sqrt{3}$$

$$\text{ist} \begin{cases} u_1 = s & u_2 = s \cdot \varepsilon_2 & u_3 = s \cdot \varepsilon_3 \\ v_1 = d & v_2 = d \cdot \varepsilon_2 & v_3 = d \cdot \varepsilon_3 \end{cases}$$

Aus diesen Werten können 9 Werte für $z = u + v$ gebildet werden. Da aber die Bedingung (IV) erfüllt sein muß*, so kommen nur die drei folgenden Kombinationen in Betracht:

* Es wäre beispielsweise $u_2 \cdot v_2 = s \cdot d \cdot \varepsilon_2^2 = s \cdot d \cdot \varepsilon_3$, also imaginär; jedoch ist $u_2 \cdot v_3 = s \cdot d \cdot \varepsilon_2 \cdot \varepsilon_3 = s \cdot d \cdot 1 = -\frac{1}{3}p$; ebenso ist $u_3 \cdot v_2 = -\frac{1}{3}p$.

$$\begin{cases} z_1 = u_1 + v_1 = s + d \\ z_2 = u_2 + v_3 = \frac{s}{2}\left(-1 + i\sqrt{3}\right) + \frac{d}{2}\left(-1 - i\sqrt{3}\right) \\ z_3 = u_3 + v_2 = \frac{s}{2}\left(-1 - i\sqrt{3}\right) + \frac{d}{2}\left(-1 + i\sqrt{3}\right) \end{cases}$$

Die reduzierte kubische Gleichung hat die Lösungen

$$(88.1)\quad \begin{cases} \mathbf{z_1 = s + d =} \\ = \sqrt[3]{-\frac{q}{2} + \sqrt{\left(\frac{q}{2}\right)^2 + \left(\frac{p}{3}\right)^3}} + \sqrt[3]{-\frac{q}{2} - \sqrt{\left(\frac{q}{2}\right)^2 + \left(\frac{p}{3}\right)^3}} \\ \mathbf{z_2 = -\left[\frac{s+d}{2} - \frac{s-d}{2}\, i\sqrt{3}\right]} \\ \mathbf{z_3 = -\left[\frac{s+d}{2} + \frac{s-d}{2}\, i\sqrt{3}\right]} \end{cases}$$

Probe: Die Summe der 3 Lösungen ist gleich Null.

Aufgaben

56. Es ist zu zeigen, daß das Produkt der 3 Lösungen gleich $-q$ ist!

$$z_2 \cdot z_3 = \left(\frac{s+d}{2}\right)^2 + 3\left(\frac{s-d}{2}\right)^2 = s^2 - sd + d^2$$

$$z_1 \cdot z_2 \cdot z_3 = (s+d)(s^2 - sd + d^2) = s^3 + d^3 = -q$$

57. Welche Lösungen hat die Gleichung

$$x^3 + 6x^2 - 12x - 112 = 0\ ?$$

Wir setzen $x = z - 2$ und erhalten

$$z^3 - 24z - 72 = 0 \quad \text{mit} \quad \frac{p}{3} = -8 \quad \text{und} \quad \frac{q}{2} = -36$$

$$s, d = \sqrt[3]{36 \pm \sqrt{1296 - 512}} = \sqrt[3]{36 \pm \sqrt{784}} = \sqrt[3]{36 \pm 28}$$

$$s = \sqrt[3]{64} = 4; \qquad d = \sqrt[3]{8} = 2$$

$$z_1 = 6; \qquad z_2 = -3 + i\sqrt{3} \qquad z_3 = -3 - i\sqrt{3}$$

Die Lösungen der gegebenen Gleichungen sind also

$$x_1 = 4; \qquad x_2 = -5 + i\sqrt{3}; \qquad x_3 = -5 - i\sqrt{3}\,*$$

VIETA-Probe: $x_1 + x_2 + x_3 = -6\ (= -a)$

$$x_2 \cdot x_3 = (-5)^2 - \left(i\sqrt{3}\right)^2 = 25 - 3i^2 = 25 + 3 = 28$$

$$x_1 \cdot x_2 \cdot x_3 = 4 \cdot 28 = 112\ (= -c)$$

58. Wie heißen die Lösungen von $x^3 + 5x^2 - 11x - 100 = 0$?

Mit $x = z - \frac{5}{3}$ erhalten wir $z^3 - \frac{58}{3}z - \frac{1955}{27} = 0$

$$s, d = \sqrt[3]{\frac{1955}{54} \pm \sqrt{\frac{1955^2}{54^2} - \frac{58^3 \cdot 4}{9^3 \cdot 4}}} =$$

$$= \sqrt[3]{\frac{1955}{54} \pm \frac{1}{54}\sqrt{\underbrace{3\,822\,025 - 780\,448}_{3\,041\,577}}} = \sqrt[3]{\frac{1955 \pm 1744}{54}}$$

$$s = \frac{1}{3}\sqrt[3]{\frac{3699}{2}} = 4{,}092; \qquad d = \frac{1}{3}\sqrt[3]{\frac{211}{2}} = 1{,}575^{**}$$

$z_1 = 4{,}092 + 1{,}575 = 5{,}667 = 5\frac{2}{3}$, mithin $x_1 = 4$ (Probe!). Aus der quadratischen Restgleichung erhält man $x_{2,3} = \frac{1}{2}\left(-9 \pm i\sqrt{19}\right)$

2. Der casus irreducibilis***

Beispiel: Wir wollen die Gleichung

$$x^3 + 6x^2 - 183x - 1358 = 0$$

mit der CARDANO-Formel lösen. Mit $x = z - 2$ erhalten wir:

$$z^3 - 195z - 976 = 0$$

also

$$s, d = \sqrt[3]{488 \pm \sqrt{-36481}} = \sqrt[3]{488 \pm 191\,i} \qquad (1)$$

2.1 *Der Radikand ist komplex.* Wir untersuchen, ob die 3. Wurzel aus einer komplexen Zahl wieder eine komplexe Zahl ergibt. Wir setzen

---

* Die Lösungen x_2 und x_3 kann man selbstverständlich auch aus der quadratischen Restgleichung gewinnen:

$$(x^3 + 6x^2 - 12x - 112) : (x - 4) = x^2 + 10x + 28\,.$$

** Die 3. Wurzeln werden logarithmisch berechnet.

*** das bedeutet: der *nicht* (auf die CARDANO-Formel) zurückführbare Fall.

$$\sqrt[3]{m \pm ni} = u \pm vi$$

dann ist
$$(u + vi)^3 = u^3 \pm 3u^2vi - 3uv^2 \mp v^3i$$
$$= \underbrace{u(u^2 - 3v^2)}_{m} \pm \underbrace{v(3u^2 - v^2)}_{n}i$$
$$= m \pm ni$$

Damit ist gezeigt, daß die 3. Wurzel aus einer komplexen Zahl wieder komplex ist.

2.2 *Die* CARDANO-*Lösung.* Mit $s = u + vi$ und $d = u - vi$ erhalten wir nun:

$$z_1 = s + d = 2u$$

und wegen $\frac{s - d}{2} = vi$:

$$z_{2,3} = -\left(u \mp vi \cdot i\sqrt{3}\right) = -\left(u \pm v\sqrt{3}\right)$$

Im Fall der imaginären Quadratwurzel erhalten wir 3 *reelle* Lösungen, nämlich

$$z_1 = 2u; \quad z_2 = -u + v\sqrt{3}; \quad z_3 = -u - v\sqrt{3}$$

2.3 *Anwendung auf das Beispiel:* $\sqrt[3]{488 \pm 191i} = ?$

Wir erkennen, daß es unmöglich ist, aus $m = 488$ und $n = 191$ die Größen u und v in (1) zu bestimmen; mit anderen Worten: Die CARDANO-Formel versagt bei dem casus irreducibilis.

Wir können uns aber davon überzeugen, daß

$$\sqrt[3]{488 \pm 191i} = 8 \pm i$$

denn $(8 \pm i)^3 = 512 \pm 192i - 24 \mp i = 488 \pm 191i$

Mit $u = 8$ und $v = 1$ erhalten wir dann die Lösungen

$$z_1 = 16; \quad z_2 = -8 + \sqrt{3}; \quad z_3 = -8 - \sqrt{3}$$

Probe: $z_2 \cdot z_3 = 61; \quad z_1 \cdot z_2 \cdot z_3 = 976$

$$z_1(z_2 + z_3) + z_2 \cdot z_3 = -256 + 61 = -195$$

§ 89 Diskussion der CARDANO-Formel

1. Die Diskriminante

in (88.1), von der die Existenz reeller Werte abhängt, heißt

$$D = \left(\frac{q}{2}\right)^2 + \left(\frac{p}{3}\right)^3$$

Da stets $\left(\frac{q}{2}\right)^2 > 0$, so entscheidet das Vorzeichen von p, ob die Quadratwurzel reell oder imaginär wird.

2. Die vier Möglichkeiten

2.1 $p > 0$: die Quadratwurzel ist immer reell; vgl. § 88 ①.
2.2 $p = 0$: es liegt die rein-kubische Gleichung $z^3 + q = 0$ vor mit der reellen Lösung $z_1 = -\sqrt[3]{q}$ und den beiden konjugiert-komplexen Lösungen $z_{2,3} = \sqrt[3]{q} \cdot \frac{1 \pm i\sqrt{3}}{2}$, nach § 86.5.

Die CARDANO-Formel liefert die gleichen Werte.

2.3 $p < 0$: die Quadratwurzel wird reell für $\left(\frac{q}{2}\right)^2 > \left|\left(\frac{p}{3}\right)^3\right|$.

Beispiel: $z^3 - 5z - 5 = 0$; $\left(\frac{5}{2}\right)^2 > \left(\frac{5}{3}\right)^3$ oder $\frac{1}{4} > \frac{5}{27}$

$$s, d = \sqrt[3]{\frac{5}{2} \pm \sqrt{\frac{25}{4} - \frac{125}{27}}} = \sqrt[3]{\frac{5}{2} \pm \sqrt{\frac{175}{108}}} = \sqrt[3]{\frac{5}{2} \pm \frac{5}{18}\sqrt{21}}$$

$$s, d = \sqrt[3]{2{,}5 \pm 1{,}273}$$

$$z = \sqrt[3]{3{,}773} + \sqrt[3]{1{,}227}$$

$$z = 1{,}5568 + 1{,}0706$$

$$z = 2{,}6274$$

21	1.32222
$\sqrt{21}$	0.66111
5	0.69897
	1.36008
18	1.25527
	0.10481 → 1,273

3,773	0.57669
	0.19223 → 1,5568
1,227	0.08884
	0.02961 → 1,0706
z	0.41953
z^3	1.25859 → 18,138

Probe: 18,138 − 13,137 − 5 = 0,01 (statt 0).

2.4 Für $p < 0$ und $\left(\frac{q}{2}\right)^2 < \left|\left(\frac{p}{3}\right)^3\right|$ versagt die CARDANO-Formel; vgl. § 88. 2 (164025 < 185193).

3. Ergebnis

Für $\left(\frac{q}{2}\right)^2 < \left|\left(\frac{p}{3}\right)^3\right|$ liegt bei negativem p der casus irreducibilis vor. In diesem Fall wird das trigonometrische Verfahren angewandt (§ 90).

§ 90 Das trigonometrische Lösungsverfahren

1. Prinzip

Das trigonometrische Verfahren beruht auf dem Vergleich der reduzierten kubischen Gleichung

$$z^3 + pz + q = 0$$

mit der Formel für den dreifachen Winkel*

$$\cos 3\alpha = 4\cos^3\alpha - 3\cos\alpha$$

oder
$$\cos^3\alpha - \frac{3}{4}\cos\alpha - \frac{1}{4}\cos 3\alpha = 0$$

oder wenn wir $3\alpha = \varphi$ setzen:

$$\cos^3\frac{\varphi}{3} - \frac{3}{4}\cos\frac{\varphi}{3} - \frac{1}{4}\cos\varphi = 0$$

Bei dem Koeffizientenvergleich muß man jedoch beachten, daß der Absolutwert des Cosinus < 1 ist. Wir multiplizieren deshalb die letzte Gleichung mit einem zunächst beliebigen Proportionalitätsfaktor ϱ^3:

$$\varrho^3 \cdot \cos^3\frac{\varphi}{3} - \frac{3}{4}\varrho^2 \cdot \varrho\cos\frac{\varphi}{3} - \frac{\varrho^3}{4}\cdot\cos\varphi = 0$$

Dann ist $z = \varrho\cdot\cos\frac{\varphi}{3}$; $p = -\frac{3}{4}\varrho^2$; $q = -\frac{1}{4}\varrho^3\cdot\cos\varphi$; also

(90.1)
$$\left|\begin{aligned} \rho &= +2\sqrt{-\frac{p}{3}} && \text{(I)}\\ \cos\varphi &= -\frac{4q}{\rho^3} && \text{(II)}\\ z &= \rho\cdot\cos\frac{\varphi}{3} && \text{(III)}\end{aligned}\right.$$

Aus (I) ergibt sich ϱ; aus (II) kann φ und damit $\frac{\varphi}{3}$ berechnet werden; aus (III) erhält man dann z.

2. Anwendungsbereich

Das trigonometrische Verfahren kommt, damit ϱ reell wird, nur für $p < 0$ in Frage. Es ist noch festzustellen, ob es auch auf den Fall 2.3 in § 89 anwendbar ist.

---

* Siehe MR 14, § 30.

Aus $\left(\frac{q}{2}\right)^2 \gtreqless \left|\left(\frac{p}{3}\right)^3\right|$ erhält man mit (2) und (1):

$$\left(\frac{\varrho^3}{8}\cos\varphi\right)^2 \gtreqless \left(\frac{\varrho^2}{4}\right)^3 \quad \text{oder} \quad \cos^2\varphi \gtreqless 1$$

Da $\cos^2\varphi > 1$ unmöglich ist, so ist das trigonometrische Verfahren nur anwendbar für

$$\left(\frac{q}{2}\right)^2 \leqq \left|\left(\frac{p}{3}\right)^3\right|$$

3. Formel

Der Cosinus ist eine periodische Funktion; er nimmt für die Winkel

$$3\alpha = \varphi + n \cdot 360°$$

den gleichen Wert an; dann ist

$$\alpha = \frac{\varphi}{3} + n \cdot 120°$$

also $\alpha_1 = \frac{\varphi}{3}$; $\alpha_2 = \frac{\varphi}{3} + 120°$; $\alpha_3 = \frac{\varphi}{3} + 240°$

Mithin ist

$$\cos\alpha_1 = \cos\frac{\varphi}{3};$$

$$\cos\alpha_2 = -\cos\left(60° - \frac{\varphi}{3}\right); \quad \cos\alpha_3 = -\cos\left(60° + \frac{\varphi}{3}\right)$$

Für den casus irreducibilis mit $p < 0$ und $\left(\frac{q}{2}\right)^2 < \left|\left(\frac{p}{3}\right)^3\right|$ erhält man die drei reellen Lösungen:

$$(90.2) \quad \left.\begin{array}{l} z_1 = \rho \cdot \cos\frac{\varphi}{3} \\ z_2 = -\rho \cdot \cos\left(60° - \frac{\varphi}{3}\right) \\ z_3 = -\rho \cdot \cos\left(60° + \frac{\varphi}{3}\right) \end{array}\right| \begin{array}{l} \text{mit } \rho = +2\sqrt{-\frac{p}{3}} \\ \text{und } \varphi \text{ aus } \cos\varphi = -\frac{4q}{\rho^3} \end{array}$$

Beispiel: $z^3 - 63z - 162 = 0 \quad (81^2 < 21^3)$

$$-\frac{p}{3} = 21; \quad \varrho = 2\sqrt{21}; \quad \cos\varphi = \frac{648}{\varrho^3}$$

21	1.32222
$\sqrt{21}$	0.66111
2	0.30103
ϱ	0.96214
ϱ^3	2.88642
648	2.81158
$\cos\varphi$	9.92516
$\varphi = 32^\circ\,40'\,45''$	

$\frac{\varphi}{3} = 10^\circ\,53'\,35''$	$\to \cos$	9.99210
$60^\circ - \frac{\varphi}{3} = 49^\circ\ \ 6'\,25''$	$\to \cos$	9.81601
$60^\circ + \frac{\varphi}{3} = 70^\circ\,53'\,35''$	$\to \cos$	9.51499
$z_1 = +9$	$\leftarrow z_1$	0.95424
$z_2 = -6$	$\leftarrow z_2$	0.77815
$z_3 = -3$	$\leftarrow z_3$	0.47713

Aufgaben

59. Es ist zu zeigen, daß in Formel (90.2)

$$z_2 + z_3 = -z_1 \quad \text{und} \quad z_1 \cdot z_2 \cdot z_3 = -q$$

$$(1)\quad -(z_2 + z_3) = \varrho\left[\cos\left(60^\circ - \frac{\varphi}{3}\right) + \cos\left(60^\circ + \frac{\varphi}{3}\right)\right] =$$

$$= \varrho \cdot 2 \cdot \cos 60^\circ \cdot \cos\frac{\varphi}{3}^{*} = \varrho \cdot \cos\frac{\varphi}{3} \equiv z_1$$

$$(2)\quad \cos\left(60^\circ - \frac{\varphi}{3}\right) \cdot \cos\left(60^\circ + \frac{\varphi}{3}\right) =$$

$$= \cos^2 60^\circ \cdot \cos^2\frac{\varphi}{3} - \sin^2 60^\circ \cdot \sin^2\frac{\varphi}{3} =$$

$$= \frac{1}{4}\cos^2\frac{\varphi}{3} - \frac{3}{4}\sin^2\frac{\varphi}{3} = \cos^2\frac{\varphi}{3} - \frac{3}{4}$$

$$z_1 \cdot z_3 \cdot z_3 = \varrho^3 \cdot \cos\frac{\varphi}{3}\left(\cos^2\frac{\varphi}{3} - \frac{3}{4}\right) = \frac{\varrho^3}{4}\left(4\cos^3\frac{\varphi}{3} - 3\cos\frac{\varphi}{3}\right) =$$

$$= \frac{\varrho^3}{4}\cos\varphi = \frac{\varrho^3}{4}\left(-\frac{4q}{\varrho^3}\right) \equiv -q$$

60. $z^3 - 171z - 810 = 0$ (vgl. § 88.2)

Mit $\frac{\varphi}{3} = 6^\circ\,35'$ erhält man die Lösungen $+15$; -9; -6.

61. $x^3 + 7{,}5x^2 - 25{,}57x - 197{,}319 = 0$

$z^3 - 44{,}32z - 102{,}144 = 0$; $51^2 < 15^3$; $\frac{\varphi}{3} = 8^\circ\,38'\,23''$

Ergebnis: $z = 7{,}6$; $-4{,}8$; $-2{,}8$; also $x = 5{,}1$; $-7{,}3$; $-5{,}3$.

---

* Siehe MR 13, § 25, Formel (25.1).

62. $x^3 - 49x + 80 = 0$

Es ist $p = -\frac{49}{3}$; $q = +80$; $\varrho = 2\sqrt{\frac{49}{3}} = \frac{14}{\sqrt{3}}$; $\cos\varphi = -\frac{320}{\varrho^3}$

Da $\cos\varphi < 0$, so ist φ stumpf; man findet $\varphi = 127^\circ\, 18'$;

$\frac{\varphi}{3} = 42^\circ\, 26'$; $60^\circ - \frac{\varphi}{3} = 17^\circ\, 34'$; $60^\circ + \frac{\varphi}{3} = 102^\circ\, 26'$

Wegen $\cos\left(60^\circ + \frac{\varphi}{3}\right) < 0$ wird $x_3 > 0$.

Ergebnis: $x_1 = +5{,}9657$; $x_2 = -7{,}7060$; $x_3 = +1{,}7403$

Beachte: Für $q > 0$ wird $\cos\varphi = -\frac{4q}{\varrho^3} < 0$, also $\varphi > 90^\circ$;

daher $\frac{\varphi}{3} > 30^\circ$, mithin $60^\circ + \frac{\varphi}{3} > 90^\circ$, folglich

$$x_3 = -\varrho \cdot \cos\left(60^\circ + \frac{\varphi}{3}\right) > 0$$

Man erhält also für $q > 0$ zwei positive und eine negative Lösung. Dagegen sind für $q < 0$ zwei negative und eine positive Lösung vorhanden (Aufg. 60 und 61). Ihr Produkt ist in jedem Fall negativ, wie es dem VIETA-Satz entspricht.

§ 91 Der Fall der Doppellösung

1. Gleichung

Die reduzierte Gleichung mit der Doppellösung $z_1 = z_3 = \alpha$ hat auf Grund des VIETA-Satzes ($z_1 + z_2 + z_3 = 0$) die dritte Lösung $z_3 = -2\alpha$.

Der Koeffizient des linearen Gliedes ist nach (86.3)

$$p = \alpha \cdot \alpha - 2\alpha \cdot \alpha - 2\alpha \cdot \alpha = -3\alpha^2$$

Das Produkt der Lösungen ist $q = \alpha \cdot \alpha \cdot (-2\alpha) = -2\alpha^3$

Besitzt die reduzierte kubische Gleichung eine Doppellösung, so hat sie die Form

$$z^3 - 3\alpha^2 z + 2\alpha^3 = 0$$

2. Diskriminante

Es ist $p = -3\alpha^2$ und $q = 2\alpha^3$, also

$\alpha^2 = -\frac{p}{3}$ und $\alpha^3 = \frac{q}{2}$, daher $\alpha^6 = \left(\frac{q}{2}\right)^2 = -\left(\frac{p}{3}\right)^3$, mithin

$$D = \left(\frac{q}{2}\right)^2 + \left(\frac{p}{3}\right)^3 = 0$$

Im Fall der Doppellösung hat die Diskriminante den Wert Null.

3. Lösung mit der CARDANO-Formel

Wegen D = 0 ist $s = d = \sqrt[3]{-\frac{q}{2}} = -\sqrt[3]{\frac{q}{2}} = -\alpha$, also

$$z_1 = -2\alpha$$

Da $s - d = 0$, so ist $z_2 = z_3 = -\frac{s + d}{2} = +\alpha$

4. Trigonometrische Lösung

$$\varrho = 2\sqrt{-\frac{p}{3}} = 2\alpha\,; \quad \cos\varphi = -\frac{4\,q}{\varrho^3} = -\frac{8\alpha^3}{8\alpha^3} = -1\,; \quad \varphi = 180^\circ$$

$\frac{\varphi}{3} = 60^\circ$	$\cos 60^\circ = \frac{1}{2}$	$z_1 = 2\alpha \cdot \frac{1}{2} = \alpha$
$60^\circ - \frac{\varphi}{3} = 0^\circ$	$\cos 0^\circ = 1$	$z_2 = -2\alpha \cdot 1 = -2\alpha$
$60^\circ + \frac{\varphi}{3} = 120^\circ$	$\cos 120^\circ = -\frac{1}{2}$	$z_3 = -2\alpha \cdot \left(-\frac{1}{2}\right) = \alpha$

Im Fall D = 0 liefern sowohl die CARDANO-Formeln als auch die trigonometrische Formel die drei reellen Lösungen $+\alpha$, $+\alpha$ und -2α.

Aufgabe

63. Man drücke die Lösungen der Gleichung $x^3 + px + q = 0$ durch p bzw. q aus für den Fall D = 0!

Ergebnis:

$$x_1 = x_2 = \sqrt{-\frac{p}{3}} = \sqrt[3]{\frac{q}{2}}\,; \quad x_3 = -2\sqrt{-\frac{p}{3}} = -2\sqrt[3]{\frac{q}{2}}$$

§ 92 Übersicht

der Anwendbarkeit der CARDANO-Formel
und des trigonometrischen Verfahrens

Gleichung	p	CARDANO-Formel	Lösungen	Trigonom. Verfahren
		s, d	z	ϱ und φ
$z^3 + 12z + 54 = 0$	> 0	$\sqrt[3]{-27 \pm 28{,}16}$ →	$-2{,}76$ $+1{,}38 \pm 4{,}21\,i$	$[\varrho = 4i]$
$z^3 \quad + 54 = 0$	$= 0$	$\sqrt[3]{-27 \pm 27}$ →	$-3{,}78$ $+1{,}89 \pm 3{,}27\,i$	$\left[\begin{matrix}\varrho = 0\\ \cos\varphi = \infty\end{matrix}\right]$
$z^3 - 24z + 54 = 0$	< 0 $D > 0$ $729 > 512$	$\sqrt[3]{-27 \pm 14{,}73}$ →	$-5{,}78$ $+2{,}89 \pm 1{,}01\,i$	$\left[\begin{matrix}\varrho = 4\sqrt{2}\\ \cos\varphi = -1{,}2\end{matrix}\right]$
$z^3 - 27z + 54 = 0$	$D = 0$ $729 = 729$	$\sqrt[3]{-27 \pm 0}$ →	$\mathbf{-6}$ $\mathbf{+3;\ +3}$	← $\varrho = 6$ $\cos\varphi = -1$ $\frac{1}{3}\varphi = 60°$
$z^3 - 30z + 54 = 0$	$D < 0$ $729 < 1000$	$\left[\sqrt[3]{-27 \pm i\sqrt{271}}\right]$	$+4{,}10$ $+2{,}12$ $-6{,}22$	← $\varrho = 2\sqrt{10}$ $\cos\varphi = -0{,}854$ $\frac{1}{3}\varphi = 49°33'$

§ 93 Textaufgaben

64. Das Produkt von drei aufeinanderfolgenden Gliedern einer arithmetischen Folge mit der Differenz $d = 2\frac{1}{2}$ hat den gegebenen Wert $k = 375$. Wie heißen die drei Glieder?*

$$a \cdot (a + d) \cdot (a + 2d) = k$$
$$a^3 + 3d\,a^2 + 2d^2 a - k = 0$$

und mit $a = z - d$:

$$z^3 - d^2 z - k = 0$$

hier
$$z^3 - 6{,}25z - 375 = 0$$

Ergebnis: $z = 7{,}5$; also $a = 5$. Die drei Glieder der Folge heißen **5; 7,5; 10.**

65. Die dritten Potenzen von drei aufeinanderfolgenden natürlichen Zahlen haben eine gegebene Summe $s = 3060$.

---

* Zu den folgenden Aufgaben vergleiche MR 23, §§ 56 und 59.

$$a^3 + (a+1)^3 + (a+2)^3 = s$$

$$a^3 + 3a^2 + 5a + 3 - \frac{s}{3} = 0$$

und mit $a = z - 1$:

$$z^3 + 2z - \frac{s}{3} = 0\,, \quad \text{hier:} \quad z^3 + 2z - 1020 = 0$$

Ergebnis: $z = 10$; also $a = 9$. Die drei Zahlen sind **9; 10; 11.**

66. Die Summe der dritten Potenzen von drei aufeinanderfolgenden natürlichen Zahlen ist gleich der dritten Potenz der nächsten Zahl.

$$a^3 + (a+1)^3 + (a+2)^3 = (a+3)^3$$

$$a^3 - 6a - 9 = 0$$

Ergebnis: $a = \mathbf{3}$; es ist $3^3 + 4^3 + 5^3 = 6^3$.

67. Das vierte Glied einer geometrischen Reihe ist $a_4 = 6{,}5664$, die Summe der vier Glieder ist $s = 20{,}3984$. Man berechne den Quotienten q und das Anfangsglied a!

Es ist
$$\frac{s}{a} = \frac{q^4 - 1}{q - 1} = q^3 + q^2 + q + 1$$

Mit $a_4 = a \cdot q^3$, also $\frac{1}{a} = \frac{q^3}{a_4}$ wird

$$\frac{s}{a_4} q^3 = q^3 + q^2 + q + 1$$

oder
$$q^3 - \frac{a_4}{s - a_4}(q^2 + q + 1) = 0$$

worin $\frac{a_4}{s - a_4} = 3\alpha$ gesetzt werde, also

$$q^3 - 3\alpha(q^2 + q + 1) = 0$$

Mit $q = z + \alpha$ erhalten wir die reduzierte Gleichung

$$z^3 - \underbrace{3\alpha(\alpha+1)}_{m} z - \alpha \underbrace{(2\alpha^2 + 3\alpha + 3)}_{n} = 0 \quad \text{mit } \alpha = \frac{72}{455}$$

Durch logarithmische Rechnung findet man:
$\alpha = 0{,}1582$; $\alpha^2 = 0{,}0250_3$; $m = 0{,}5498$; $n = 3{,}5246_6$; $n\alpha = 0{,}55762$

$$z^3 - 0{,}5498\,z - 0{,}55762 = 0$$

$$\text{mit } \frac{p}{3} = -0{,}1833 \quad \text{und} \quad \frac{q}{2} = -0{,}27881$$

$$u, v = \sqrt[3]{0{,}2788 \pm \sqrt{0{,}071577}} = \sqrt[3]{0{,}2788 \pm 0{,}2675}$$

$$z = 0{,}8175 + 0{,}2244 = 1{,}0419$$

$$\text{also } q = z + \alpha = \mathbf{1{,}2_{001}}, \text{ mithin } a = \frac{a_4}{q} = \mathbf{3{,}8}$$

Ergebnis:
$$\begin{aligned} a_1 &= 3{,}8 \\ & 4{,}56 \\ & 5{,}472 \\ a_4 &= 6{,}5664 \\ \hline s &= 20{,}3984 \end{aligned}$$

68. In eine Halbkugelschale vom Radius $r = 1$ dm wird das Volumen $V = 1\ \text{dm}^3$ Wasser gegossen. Wie hoch (h) steht das Wasser in der Schale?

$$V = \frac{\pi}{3} h^2 (3r - h), \quad \text{daraus} \quad h^3 - 3rh^2 + \frac{3V}{\pi} = 0$$

und mit $h = z + r$:

$$z^3 - 3r^2 z - \left(2r^3 - \frac{3V}{\pi}\right) = 0; \quad \text{hier:} \quad z^3 - 3z - 1{,}046 = 0$$

Ergebnis: $z = -0{,}364$, also $h = \mathbf{0{,}636}$ dm.

Probe: $\frac{\pi}{3} h^2 (3 - h) = 1{,}00_1$.

69. Einer Halbkugel mit dem Radius $\varrho = 1$ ist ein Kegel umbeschrieben, dessen Volumen gleich dem Volumen der ganzen Kugel ist. Wie groß sind Radius (r) und Höhe (h) des Kegels?

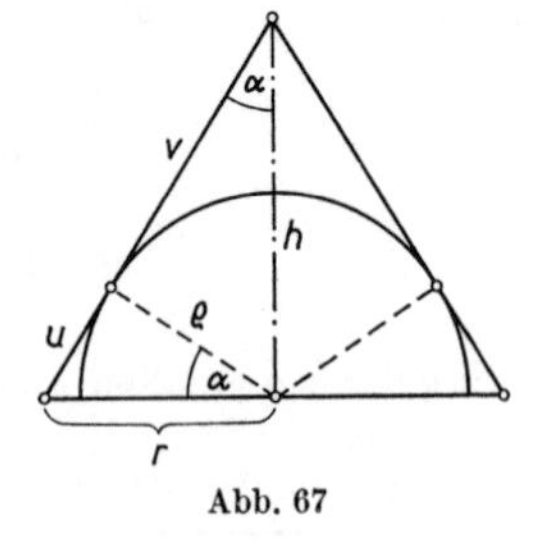

Abb. 67

Es ist $\frac{\pi}{3} r^2 h = \frac{4}{3} \pi \varrho^3$ oder $r^2 h = 4\varrho^3$ (= 4)

Trigonometrischer Lösungsweg: $r = \frac{\varrho}{\cos\alpha}$; $h = \frac{\varrho}{\sin\alpha}$

$$\frac{1}{\cos^2\alpha \cdot \sin\alpha} = \frac{1}{(1 - \sin^2\alpha) \cdot \sin\alpha} = 4$$

daraus $$\sin^3\alpha - \sin\alpha + \frac{1}{4} = 0$$

Ergebnis: $\sin\alpha = 0{,}837$; $\alpha = 56°50'$; $h =$ **1,19** ; $r =$ **1,83**

Probe: $r^2 h = 4$ (wie oben)

Geometrischer Lösungsweg:

Höhensatz: $\varrho^2 = u \cdot v$

Pythagoras: $u^2 = r^2 - \varrho^2$ und $v^2 = h^2 - \varrho^2$

also $\varrho^4 = (r^2 - \varrho^2)(h^2 - \varrho^2)$

daraus $r^2h^2 - \varrho^2 r^2 - \varrho^2 h^2 = 0$

Hieraus können wir r^2 oder h^2 ausrechnen und in $r^2 h = 4\varrho^3$ einsetzen:

$$r^2 = \frac{\varrho^2 h^2}{h^2 - \varrho^2}$$

$h^3 - 4\varrho h^2 + 4\varrho^3 = 0$*

hier: $h^3 - 4h^2 + 4 = 0$

$$h^2 = \frac{\varrho^2 r^2}{r^2 - \varrho^2}$$

$r^6 - 16\varrho^4 r^2 + 16\varrho^6 = 0$*

hier: $r^6 - 16r^2 + 16 = 0$

oder mit $r^2 = z$:

$z^3 - 16z + 16 = 0$

Ergebnis (wie oben): $h = 1{,}19$; $z = 3{,}35$; $r = 1{,}83$

70. Ein gleichschenkliges Dreieck (Basis c, Schenkel b, Höhe h) hat die gleiche Fläche wie ein Quadrat mit der Seite a. Der Umfang des Dreiecks ist $1\frac{1}{2}$ mal so groß wie der des Quadrates. Welche Seiten hat das Dreieck, wenn $a = 3$ ist?

---

* Es empfiehlt sich, die Zahlenwerte (hier $\varrho = 1$) erst zuletzt einzusetzen. Wenn man mit Buchstaben rechnet, kann man die Dimensionen nachprüfen, nämlich 3. Potenzen bzw. 6. Potenzen.

Es ist $a^2 = \frac{1}{2} c h$ und $2b + c = 1\frac{1}{2} \cdot 4a = 6a$

$$h = \sqrt{b^2 - \frac{c^2}{4}} = \frac{1}{2}\sqrt{4b^2 - c^2} \quad \text{oder mit} \quad 2b = 6a - c:$$

$$h = \tfrac{1}{2}\sqrt{36a^2 - 12ac} = \sqrt{3a(3a - c)}, \quad \text{mithin}$$

$$c\sqrt{3a(3a - c)} = 2a^2$$

$$3c^2(3a - c) = 4a^3$$

$$c^3 - 3ac^2 + \tfrac{4}{3}a^3 = 0$$

hier: $$c^3 - 9c^2 + 36 = 0$$

Ergebnis: $c_1 = 2{,}32$; $c_2 = 8{,}50$; $[c_3 = -1{,}82]$
$h_1 = 7{,}76$; $h_2 = 2{,}12$
$b_1 = 7{,}84$; $b_2 = 4{,}75$

Es gibt zwei Dreiecke, die den Bedingungen der Aufgabe genügen. Zeichnung!

Probe: $F = \frac{1}{2} c_1 h_1 = \frac{1}{2} c_2 h_2 \equiv a^2 = 9$.

71. Einer Kugel ($R = 1$) ist ein Zylinder einbeschrieben, dessen Volumen gleich dem halben Kugelvolumen ist. Man berechne Radius (r) und Höhe (h) des Zylinders!

$$\pi r^2 h = \tfrac{2}{3}\pi R^3 \quad \text{oder} \quad r^2 h = \tfrac{2}{3} R^3$$

Mit $h^2 = 4(R^2 - r^2)$ ergibt sich $r^2\sqrt{R^2 - r^2} = \frac{1}{3} R^3$

oder wenn wir $r^2 = x$ setzen: $x\sqrt{1 - x} = \frac{1}{3}$

also $x^3 - x^2 + \frac{1}{9} = 0$

Mit $x = z + \frac{1}{3}$: $z^3 - \frac{1}{3} z + \frac{1}{27} = 0$

$$\varrho = \tfrac{2}{3}; \quad \cos\varphi = -\tfrac{1}{2}; \quad \varphi = 120^\circ$$

Von den 3 reellen Lösungen $x_1 = 0{,}844$; $x_2 = 0{,}449$; $x_2 = -0{,}293$ scheidet die letzte aus.

Ergebnis: $r_1 = 0{,}919$; $h_1 = 0{,}787$
$r_2 = 0{,}670$; $h_2 = 1{,}485$

Man mache die *Probe* für beide Zylinder!

72. Wie lautet das Ergebnis, wenn das Zylindervolumen der dritte Teil des Kugelvolumens sein soll?

$$h^3 - 4h + \tfrac{16}{9} = 0$$

$$\varrho = \tfrac{4}{3}\sqrt{3}\,; \quad \cos\varphi = -\tfrac{1}{3}\sqrt{3}\,; \quad \varphi = 125°16'$$

Ergebnis: $h_1 = 1{,}72$; $h_2 = 0{,}47$; $[h_3 = -2{,}19]$
$r_1 = 0{,}51$; $r_2 = 0{,}97$

73. Eine Halbkugel ($r = 3$ dm) wird durch zwei zur „Grundfläche" parallele Schnitte in drei inhaltsgleiche Schichten zerlegt. Ihre Höhen sind zu berechnen.

$$V_1 = V_2 = V_3 = \tfrac{1}{3}\cdot\tfrac{2}{3}\pi r^3 = 6\pi$$

Oberste Schicht (= Abschnitt):

$$V_1 = \tfrac{1}{3}\pi h_1^2(3r - h_1) = 6\pi \quad \rightarrow \quad h_1^3 - 9h_1^2 + 18 = 0$$

und mit $h_1 = z + 3$: $\quad z^3 - 27z - 36 = 0$

$$\varrho = 6\,; \quad \cos\varphi = \tfrac{2}{3}\,; \quad \varphi = 48°11'21''$$

z	$-1{,}445$	[5,766	$-4{,}321$]	dm
h_1	**1,555**	[8,766	$-1{,}321$]	dm

Unterste Schicht (Höhe h_3; Radien r und ϱ)

$$V_3 = \tfrac{1}{6}\pi h_3(3r^2 + 3\varrho^2 + h_3^2) = 6\pi$$

$$h_3(3r^2 + \underbrace{3\varrho^2 + 3h_3^2}_{3r^2} - 2h_3^2) = 36$$

$$h_3(3r^2 - h_3^2) = 18 \quad \text{oder} \quad h_3^3 - 27h_3 + 18 = 0$$

$$\varrho = 6\,; \quad \cos\varphi = -\tfrac{1}{3}\,; \quad \varphi = 109°28'47''$$

$$h_3 = \mathbf{0{,}678} \quad [4{,}824\,; \; -5{,}502]$$

Die *mittlere Schicht* hat die Höhe h_2 = **0,767** dm.

Mache die *Probe* für das Volumen jeder Schicht!

74. Der zwei gleichen Kugeln ($r = 1$) gemeinsame Körper – eine bikonvexe Linse – besitzt das halbe Kugelvolumen. Wie groß ist der Mittelpunktsabstand ($2a$) beider Kugeln?

Der Körper besteht aus 2 gleichen Kugelabschnitten mit der Höhe $h = r - a$.

$$\frac{\pi}{3}h^2(3r - h) = \frac{\pi}{3}r^3 \quad \rightarrow \quad h^3 - 3h^2 + 1 = 0$$

und mit $h = 1 - a$: $\quad a^3 - 3a + 1 = 0$

$$\varrho = 2\,; \quad \varphi = 120°\,; \quad a = 0{,}347 \; [1{,}532\,; \; -1{,}879]$$

Der Mittelpunktsabstand beträgt **0,694.**

75. Eine Kugelschale aus Aluminium (Dichte $s = 2{,}7$) mit dem inneren Radius $\varrho_1 = 7{,}3$ cm, der inneren Höhe $h_1 = 5{,}5$ cm und der Wandstärke $d = 0{,}2$ cm schwimmt in Wasser. Man berechne den Tiefgang t, das Gewicht G und die Tragfähigkeit T (Abb. 68).

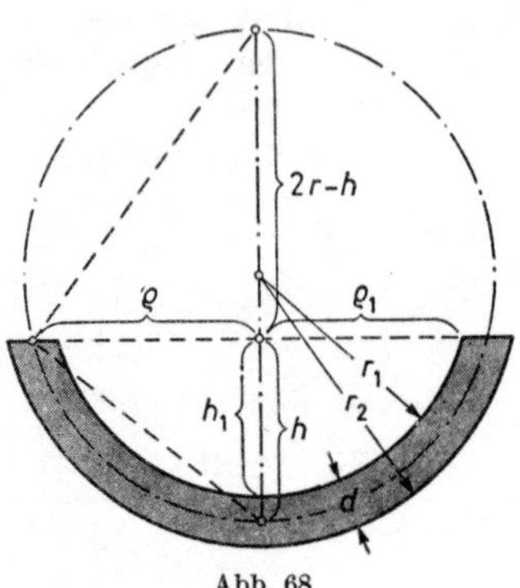

Abb. 68

Innere Abmessungen: $\varrho_1 = 7{,}3$ cm, $h_1 = 5{,}5$ cm
mittlere Abmessungen: $\varrho = 7{,}4$ cm, $h = 5{,}6$ cm
äußere Abmessungen: $\varrho_2 = 7{,}5$ cm, $h_2 = 5{,}7$ cm

Wegen der relativ geringen Wandstärke kann das Volumen des Materials aus mittlerer Oberfläche mal Dicke berechnet werden:

$$V \approx 2\pi r h \cdot d$$

Den mittleren Kugelradius r erhalten wir mit dem Höhensatz:

$$\varrho^2 = h\,(2r - h)\,, \quad \text{daraus} \quad r = \frac{\varrho^2 + h^2}{2h} = 7{,}7$$

also $r_1 = 7{,}6$ und $r_2 = 7{,}8$.

Nach dem Archimedischen Gesetz ist

$$2\pi r h d s = \tfrac{1}{3}\pi t^2 (3r_2 - t)$$

$$6 r h d s = 3 r_2 t^2 - t^3$$

hier: $t^3 - 23{,}4 t^2 + 139{,}7 = 0$

Mit $t = z + 7{,}8$ ist $z^3 - 182{,}52\,z - 809{,}4 = 0$

$$z = -5{,}21 \quad [15{,}34; \quad -10{,}13]$$

$$t = 2{,}59 \quad [23{,}14; \quad -2{,}33]$$

Ergebnis: $t =$ **2,6** cm; $G =$ **146** g.

Aus $G + T = \frac{1}{3}\pi h_2^2 (3r_2 - h_2) = 602$ wird $T =$ **456** g.

76. In die Kugelschale aus Aufg. 75 wird soviel Wasser gefüllt, daß sie gerade noch schwimmt. Wie hoch (x) steht dann das Wasser in der Schale?

In die Schale können 456 cm³ Wasser gefüllt werden. Aus

$$456 = \frac{\pi}{3} x^2 (22{,}8 - x)$$

erhält man $x = \mathbf{5}$ cm.

77. Gegeben sind die Punkte A $(a; u)$ und B $(b; v)$. Man suche auf den Koordinatenachsen zwei Punkte P $(0; p)$ und Q $(q; 0)$, so daß die vier Punkte ein rechtwinkliges Trapez $APQB$ bilden (Abb. 69).

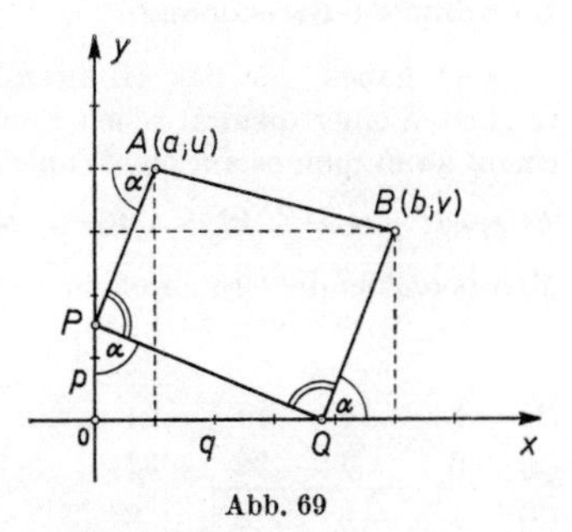

Abb. 69

Es sei A (1; 4); B (5; 3).

$$\tan \alpha = \frac{u - p}{a} = \frac{v}{b - q} = \frac{q}{p}$$

(I) $up - p^2 = aq$

$p^2 - up + aq = 0$

(II) $vp = bq - q^2$

$q^2 - bq + vp = 0$

Zu (I) $p^2 - up + \dfrac{ab + \sqrt{b^2 - 4vp}}{2} = 0$

$$p^3 - 2up^2 + (u^2 + ab)\,p + a\,(av - bu) = 0$$

hier: $p^3 - 8p^2 + 21p - 17 = 0$ mit $p = \mathbf{1{,}53}$

zu (II) $q^3 - 2bq^2 + (b^2 + uv) + v\,(av - bu) = 0$

hier: $q^3 - 10q^2 + 37q - 51 = 0$ mit $q = \mathbf{3{,}78}$

Ergebnis: P (0; 1,53); Q (3,78; 0).

Probe: $\tan \alpha = \frac{2{,}47}{1} = \frac{3}{1{,}28} = \frac{3{,}78}{1{,}54}$; $\alpha \approx 68°$.

DIE KUBISCHE FUNKTION

§ 94 Das Horner-Schema

1. Ordinaten-Berechnung

In § 82 haben wir das Horner-Schema zur Berechnung der Ordinaten einer quadratischen Funktion kennengelernt. Entsprechend kann man es auf eine Funktion 3. Grades anwenden.

Beispiel: $y = x^3 - 12x^2 + 40x - 24$

Man berechne die Ordinaten zu $x = 4$ und $x = 6$!

				$x = 4$				$x = 6$
(1)	1	− 12	40	− 24	1	− 12	40	− 24
(2)	0	4	− 32	+ 32	0	6	− 36	+ 24
(3)	1	− 8	8	+ 8	1	− 6	4	0

Auf der Kurve liegen die Punkte A (4; 8) und B (6; 0).

Beweis für die Funktion $y = x^3 + ax^2 + bx + c$

				x
(1)	1	a	b	c
(2)	0	x	$x^2 + ax$	$x^3 + ax^2 + bx$
(3)	1	$x + a$	$x^2 + ax + b$	$x^3 + ax^2 + bx + c = y$
(4)	0	x	$2x^2 + ax$	
(5)	1	$2x + a$	$3x^2 + 2ax + b = m$	

Der Randwert der Zeile (3) liefert die Ordinate. Ist dieser Randwert gleich Null, so ist die betreffende Abszisse eine Nullstelle.

Über die Bedeutung des verlängerten Schemas siehe § 98.

2. Die quadratische Restgleichung*

Hat man eine Nullstelle der Funktion ermittelt (im obigen Beispiel $x_1 = 6$), so sind die Zahlen vor dem Randwert der Zeile (3) die Koeffizienten der quadratischen Restgleichung, aus der man die beiden anderen Nullstellen erhält, also

$$x^2 - 6x + 4 = 0\,, \quad \text{daraus} \quad x_{2,3} = 3 \pm \sqrt{5}$$

* Vgl. auch § 86.4.

Beweis. Wir bauen eine kubische Funktion auf:

$$y = (x^2 + px + q)(x - \alpha)$$
$$y = x^3 + (p - \alpha)x^2 + (q - \alpha p)x - \alpha q$$

und setzen im Horner-Schema $x = \alpha$ ein:

1	$p - \alpha$	$q - \alpha p$	$-\alpha q$	α
0	α	αp	αq	
1	p	q	0	

Die quadratische Restgleichung lautet $x^2 + px + q = 0$.

3. Anwendung

Ist einer der Koeffizienten a, b oder c gleich Null, so muß im Horner-Schema an der betreffenden Stelle eine Null gesetzt werden.

Beispiele. ① $y = x^3 - 7x + 5$ für $x = 2,8$
② $y = x^3 + 3x^2 - 8$ für $x = -1,9$
③ $y = x^3 - 6x^2 + 4x$ für $x = 4,8$

①

				2,8
1	**0**	−7	5	
0	2,8	7,84	2,352	
1	2,8	0,84	7,352	

②

				−1,9
1	3	**0**	−8	
0	−1,9	−2,09	3,971	
1	+1,1	−2,09	−4,029	

③

				4,8
1	−6	4	**0**	
0	4,8	−5,76	−8,448	
1	−1,2	−1,76	−8,448	

§ 95 Die Wendeparabel $y = x^3$

1. Wertetafel

$\pm x$	0	$\frac{1}{2}$	1	$1\frac{1}{2}$	2	$2\frac{1}{2}$	3	0,1	0,2	0,3
$\pm y$	0	$\frac{1}{8}$	1	$3\frac{3}{8}$	8	$15\frac{5}{8}$	27	0,001	0,004	0,027

2. Verlauf der Kurve (Abb. 70)

Die Kurve läuft durch den Nullpunkt. Für positive (negative) Abszissen hat die Funktion positive (negative) Ordinaten vom jeweils gleichen absoluten Betrag; deshalb liegt die Kurve punktsymmetrisch zum Nullpunkt. In der Nähe des Nullpunktes schmiegt sich die Kurve weitgehend der x-Achse an (vgl. die rechtsstehenden Tabellenwerte).

3. Wendepunkt

Von links kommend läuft die Kurve entlang der „unteren" Seite der x-Achse und „wendet" sich im Nullpunkt zur „oberen" Seite der x-Achse. Der Nullpunkt ist der *Wendepunkt* der Kurve.

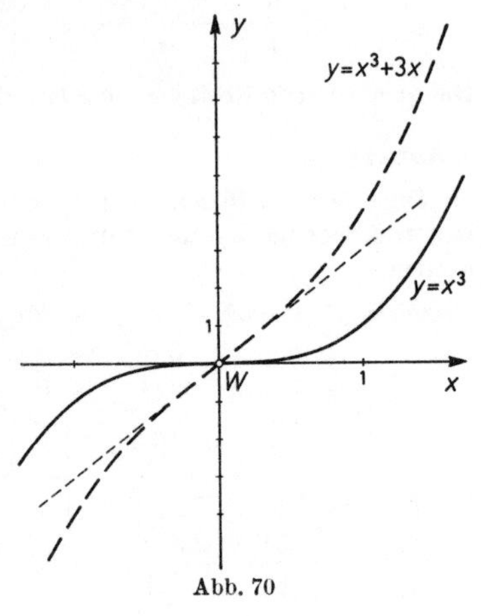

Abb. 70

4. Die Wendeparabel $y = x^3 \pm c$

Die Kurve ist gegenüber der Funktion $y = x^3$ um c Einheiten nach oben bzw. unten verschoben. Ihr Wendepunkt hat also die Koordinaten $W\ (0;\ \pm\ c)$. Die einzige Nullstelle liegt bei $x = \mp \sqrt[3]{c}$.

§ 96 Die kubische Parabel $y = x^3 + bx$

1. $y = x^3 + 3x$ (vgl. Abb. 70)

1.1 *Wertetafel*

$\pm x$	0	0,1	0,2	0,4	0,6	0,8	1	1,2
$\pm y$	0	0,301	0,608	1,264	2,016	2,912	4	5,324

1.2 *Symmetrie*

Wir klammern x aus, also $y = x\ (x^2 + 3)$. Da die Klammer sowohl für positive als auch für negative x-Werte jeweils den gleichen Wert hat, so hat die Funktion für positive (negative) Abszissen auch positive (negative) Ordinaten vom gleichen Absolutbetrag. Die Kurve liegt also punktsymmetrisch zum Nullpunkt*, der ein Wendepunkt ist.

* Punktsymmetrie liegt immer dann vor, wenn eine Funktion nur ungerade Potenzen von x enthält. Treten nur gerade Potenzen von x auf, so liegt die Kurve symmetrisch zur y-Achse.

2. $y = x^3 - 3x = x(x^2 - 3)$ (Abb. 71)

2.1 *Wertetafel*

$\pm x$	0	0,2	0,4	0,6	0,8	**1**
$\pm y$	0	– 0,592	– 1,136	– 1,584	– 1,888	**– 2**

$\pm x$	1,2	1,4	1,6	$\sqrt{3}$	1,8	1,9	**2**	2,1
$\pm y$	– 1,872	– 1,456	– 0,704	0	0,432	1,159	**2**	2,961

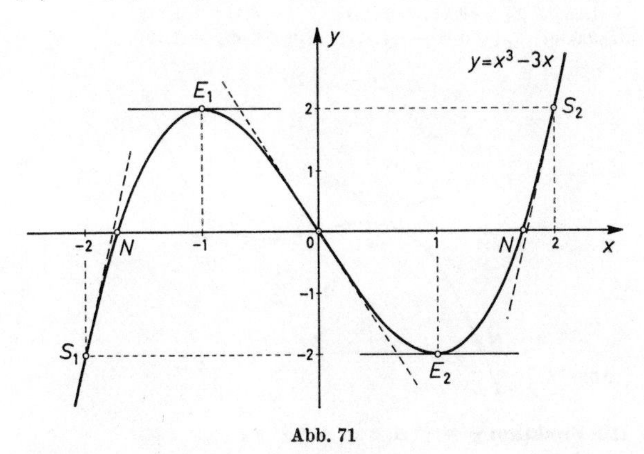

Abb. 71

2.2 *Symmetrie.* Hierfür gilt das in 1.2 Gesagte.

2.3 *Nullstellen:* Aus $x^2 - 3 = 0$ folgt, daß die Kurve außer dem Nullpunkt noch die Nullstellen $N(x = \pm \sqrt{3})$ besitzt.

2.4 *Extreme:* Wie man aus Abb. 71 erkennt, hat die Kurve einen *Hochwert* (Maximum) und einen *Tiefwert* (Minimum); diese beiden Punkte werden mit dem gemeinsamen Namen *Extreme* bezeichnet:

$$E_1(-1;\ +2); \qquad E_2(+1;\ -2)$$

2.5 *Stützpunkte:* Der Wertetafel entnehmen wir, daß auf der Kurve noch zwei Punkte S_1 und S_2 liegen, welche die gleichen Ordinaten wie die Extreme, aber die *doppelten* Abszissen besitzen:

$$S_1(-2;\ -2); \qquad S_2(+2;\ +2)$$

Wir nennen sie die Stützpunkte, weil sie das Zeichnen der Kurve erleichtern.

Näheres über Extreme und Stützpunkte in § 99.

§ 97 Die allgemeine kubische Funktion

1. Die reduzierte Form $y = x^3 + bx + c$

Diese Parabel ist im Vergleich zur Parabel $y = x^3 + bx$ (§ 96) um c Einheiten nach oben verschoben. Der Wendepunkt hat also die Koordinaten $W\,(0;\ c)$.

Beispiel: $y = x^3 - \frac{1}{2}x + 2$ (Abb. 72)
$W\,(0;\ +2)$; Nullstelle $N\,(x = -1{,}4$*).

Extreme: $E_1\,(-0{,}41;\ +2{,}13)$; $E_2\,(+0{,}41;\ +1{,}87)$
Stützpunkte: $S_1\,(-0{,}82;\ +1{,}87)$; $S_2\,(+0{,}82;\ +2{,}13)$

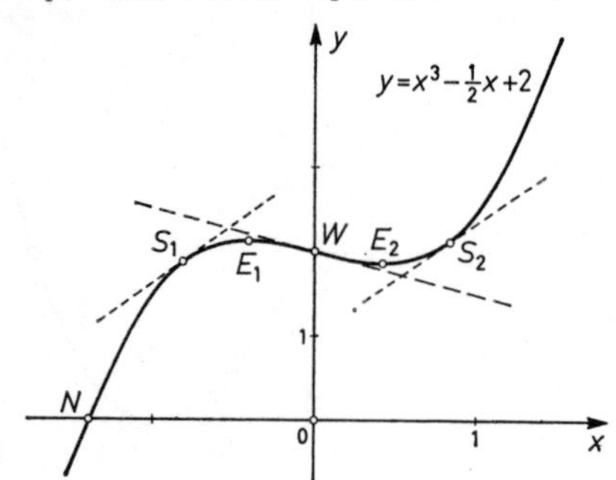

Abb. 72

2. Die Funktion $y = x^3 + ax^2 + bx + c$

Wir reduzieren die allgemeine Funktion durch die Substitution $x = \xi - \dfrac{a}{3}$ (vgl. § 87).

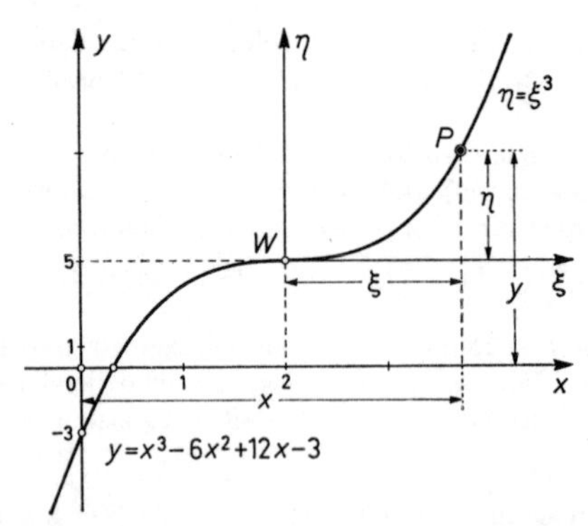

Abb. 73

* Die kubische Gleichung $x^3 - \frac{1}{2}x + 2 = 0$ hat die Lösungen $x_1 = -1{,}39$ und $x_{2,3} = \frac{1}{2}\,(1{,}39 \pm 1{,}95i)$.

Beispiele. ① $y = x^3 - 6x^2 + 12x - 3$ (Abb. 73)
Mit $x = \xi + 2$ erhalten wir $y = \xi^3 + 5$ (I)
also die um 5 Einheiten nach oben verschobene Wendeparabel.

② $y = x^3 + 6x^2 + 11\frac{1}{2}\,x + 4$
Mit $x = \xi - 2$ erhält man $y = \xi^3 - \frac{1}{2}\,\xi - 3$ (II)
also eine Funktion von der in 1 angegebenen Form mit dem Wendepunkt $W\,(0;\ -3)$. Zeichnung!

2.1 *Koordinaten-Transformation.* Wir bringen in den vorstehenden reduzierten Gleichungen (I) und (II) das absolute Glied auf die linke Seite und ersetzen diese durch η, also

(I) $y - 5 = \xi^3$ (II) $y + 3 = \xi^3 - \frac{1}{2}\,\xi$

$\eta = \xi^3$ $\eta = \xi^3 - \frac{1}{2}\,\xi$

Dann erkennen wir, daß die Substitutionen

$$x = \xi + 2 \qquad\qquad x = \xi - 2$$
$$y = \eta + 5 \qquad\qquad y = \eta - 3$$

nichts anderes bedeuten als eine Verschiebung des Achsenkreuzes vom ursprünglichen x-y-System in ein neues ξ-η-System. Wir sprechen dann von einer Koordinaten-Transformation*.

Der *Wendepunkt,* der im neuen System in beiden Fällen die Koordinaten (0; 0) hat, besitzt im ursprünglichen System die Koordinaten

(1) $W\,(+2;\ +5)$ (2) $W\,(-2;\ -3)$

2.2 *Die Koordinaten des Wendepunktes*

Die Reduktion der Funktion $y = x^3 + ax^2 + bx + c$ führt durch die Substitution $x = \xi - \frac{a}{3}$ zur Funktion von der Form

$$y = \xi^3 + p\xi + q$$

und durch die weitere Substitution $y = \eta + q$ zur Funktion

$$\eta = \xi^3 + p\xi$$

mit dem Wendepunkt $W\,(\xi = 0;\ \eta = 0)$. Der Wendepunkt der gegebenen Funktion hat also die Koordinaten

$$W\left(-\frac{a}{3};\ q\right)$$

Dieses Ergebnis wird auch durch Einsetzen in das Horner-Schema bestätigt:

---

* Näheres in der Analytischen Geometrie, MR 26.

(1)	1	a	b	c	$-\frac{1}{3}a$
(2)	0	$-\frac{a}{3}$	$-\frac{2}{9}a^2$	$\frac{2}{27}a^3 - \frac{ab}{3}$	
(3)	1	$\frac{2}{3}a$	$-\frac{2}{9}a^2 + b$	$\frac{2}{27}a^3 - \frac{ab}{3} + c = q$*	
(4)	0	$-\frac{a}{3}$	$-\frac{1}{9}a^2$		
(5)	1	$\frac{a}{3}$	$-\frac{a^2}{3} + b = m$		

2.3 *Symmetrie.* Da sich die allgemeine Funktion durch die Substitutionen $x = \xi - \frac{a}{3}$ und $y = \eta + q$ in die Funktion

$$\eta = \xi^3 + p\xi = \xi\,(\xi^2 + p)$$

mit dem Wendepunkt $W\,(\xi = 0;\ \eta = 0)$ umwandeln läßt, so folgt, daß jede kubische Funktion punktsymmetrisch zu ihrem Wendepunkt $W\,(x = -\frac{a}{3};\ y = q)$ liegt.

3. Vorteile der Koordinaten-Transformation

Um die Funktion $y = x^3 - 6x^2 + 8x - 3$ zu erreichen, müßte man zu etwa 10 x-Werten die y-Werte mit dem HORNER-Schema berechnen. Einfacher ist das Aufstellen der Wertetafel für die transformierte Funktion $\eta = \xi\,(\xi^2 + p)$, weil man dann bei jeder einzelnen Berechnung die Koordinaten von *zwei* punktsymmetrischen Punkten gewinnt:

mit $x = \xi + 2$: $\quad y = \xi^3 - 6\xi - 3$
mit $y = \eta - 3$: $\quad \eta = \xi^3 - 6\xi = \xi\,(\xi^2 - 6)$

ξ	0	± 1	$\pm 1{,}5$	± 2	$\pm 2{,}5$	± 3	$\pm\ 3{,}5$
$\xi^2 - 6$	-6	-5	$-3{,}75$	-2	$+0{,}25$	$+3$	$+\ 6{,}25$
η	0	∓ 5	$\mp 5{,}625$	∓ 4	$\pm 0{,}625$	± 9	$\pm 21{,}875$

Da der Wendepunkt die Koordinaten $W\,(x = 2,\ y = -3)$ hat, erhält man den Nullpunkt des x-y-Systems, indem man 2 Einheiten nach links und 3 Einheiten nach oben geht.

---

* Nach § 87.2 ist $p = -\frac{a^2}{3} + b$ und $q = \frac{2}{27}a^3 - \frac{ab}{3} + c$.

Über die Bedeutung des verlängerten HORNER-Schemas vergleiche § 98.

Aufgabe

78. Man zeichne die Funktion $y = x^3 + 7\frac{1}{2}x^2 + 18\frac{3}{4}x + 15\frac{5}{8}$!
Es ist $x = \xi - 2\frac{1}{2}$, $y = \eta + 1{,}4$; $W(-2{,}5;\ +1{,}4)$ und
$\eta = \xi\,(\xi^2 + 3{,}5)$

§ 98 Die Tangente

1. Die Tangente als Grenzlage der Sekante

Wir zeichnen durch den Punkt S einer kubischen Parabel eine beliebige Sekante, welche die Kurve in den Punkten P und Q schneidet. Drehen wir die Sekante um S in der Pfeilrichtung, so nähern sich die Punkte P und Q mehr und mehr und fallen schließlich im Punkt T zusammen. Dann ist die Sekante in die Tangente übergegangen (Abb. 74).

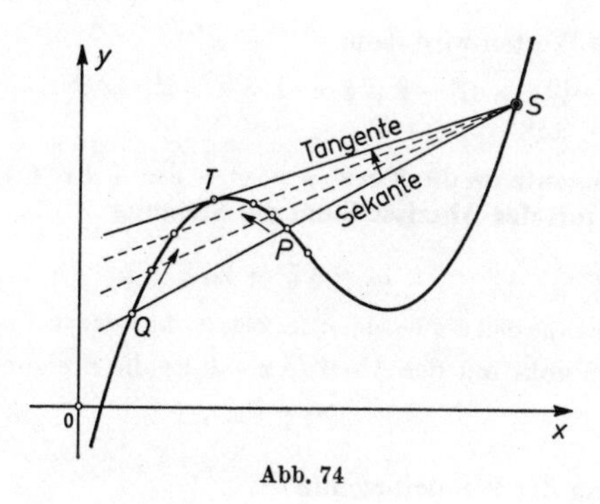

Abb. 74

2. Berechnung der Tangentensteigung

Wir wollen die Steigung m der Tangente in einem Punkt $T\ (\xi;\eta)$ der Funktion

$$y = x^3 + ax^2 + bx + c$$

berechnen. Die Tangente möge die Kurve in dem Punkt $S\ (s;\ t)$ schneiden (Abb. 75).

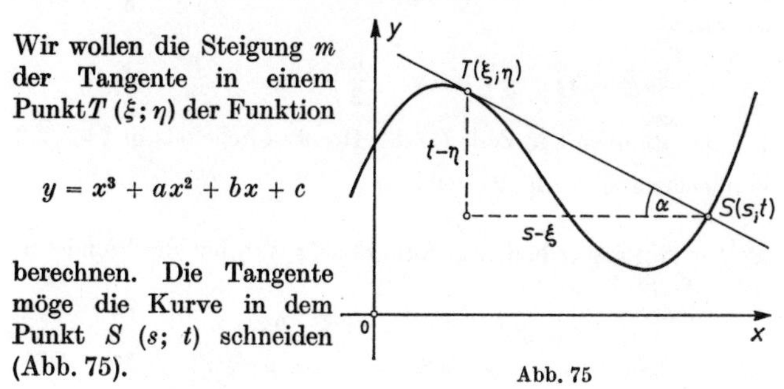

Abb. 75

Die Steigung der Tangente ist $\tan\alpha = m = \dfrac{t-\eta}{s-\xi}$

Mit $t = s^3 + as^2 + bs + c$ und $\eta = \xi^3 + a\xi^2 + b\xi + c$ erhalten wir $t - \eta = s^3 - \xi^3 + a(s^2 - \xi^2) + b(s - \xi)$ oder wenn wir $s - \xi$ ausklammern:

$$t - \eta = (s - \xi)\,[s^2 + s\xi + \xi^2 + a(s + \xi) + b]$$

mithin $m = \dfrac{t-\eta}{s-\xi} = s^2 + as + b + \xi^2 + (s + a)\,\xi$

Die Abszissen ξ und s von T und S sind die Lösungen einer kubischen Gleichung, die sich durch Kombinieren der Gleichungen der kubischen Parabel und der Geraden (= Tangente) ergibt.

Da ξ eine Doppellösung (nach 1) ist, so folgt aus dem Satz von VIETA:

$2\xi + s = -a$, also $s = -(2\xi + a)$ und $s + a = -2\xi$

Mit diesen Werten wird dann

$$m = (2\xi + a)^2 - a(2\xi + a) + b + \xi^2 - 2\xi^2$$
$$m = 3\xi^2 + 2a\xi + b$$

Die Tangente an die Kurve $y = x^3 + ax^2 + bx + c$ in einem Punkt mit der Abszisse ξ hat die Steigung

(98.1) $$\boldsymbol{m = 3\xi^2 + 2a\xi + b}$$

Man vergleiche hiermit den Randwert der Zeile (5) des HORNER-Schemas, § 94.1.

In einem Punkt mit der Abszisse $x = 0$ ist die Steigung

$$m_0 = b$$

3. Steigung der Wendetangente

3.1 Für den Wendepunkt mit der Abszisse $\xi = -\dfrac{a}{3}$ erhalten wir dann

$$m_W = 3\left(-\frac{a}{3}\right)^2 + 2a\left(-\frac{a}{3}\right) + b = -\frac{a^2}{3} + b$$

d. i. der Randwert in Zeile (5) der HORNER-Schemas in § 97. 2.2.

Vergleiche auch Aufg. 91 ··· 93.

3.2 Im Fall der reduzierten Funktion ($a = 0$) hat die Wendetangente die Steigung

$$m_W = b \quad (\text{für } y = x^3 + bx + c)$$

bzw. $$m_W = p \quad (\text{für } y = x^3 + px + q)$$

3.3 Für $a = 0$ und $b = 0$ liegt die verschobene Wendeparabel vor; die Steigung ihrer Wendetangente ist

$$m_W = 0$$

4. Geometrische Deutung der Konstanten

$$y = x^3 + ax^2 + bx + c \quad (\S\, 97.2)$$

$$y = x^3 + px + q \quad (\S\, 97.1)$$

c und q sind die Abschnitte der kubischen Parabel auf der y-Achse;

a ist die dreifache negative Abszisse des Wendepunktes:

$$x_W = -\frac{a}{3}, \quad \text{nach § 97. 2.2;}$$

b ist die Steigung der Tangente im Punkt $(0;\ c)$:

$$m_0 = b\,, \text{ nach (98.1);}$$

p ist die Steigung der Wendetangente: $m_W = p$, nach § 98. 3.2.

79. In welchem Punkt S schneidet die im Punkt $T\,(\xi;\ \eta)$ gelegte Tangente (t) die Parabel $y = x^3 + px$?

Es ist $m = 3\xi^2 + p$.

Gleichung von t*: $\quad y - \eta = m\,(x - \xi)$

oder $\quad y = mx - m\xi + \eta$

dazu $\quad y = x^3 + px$

daraus $x^3 - (m - p)\,x + (m\xi - \eta) = 0$

oder $\quad x^3 - 3\xi^2 x + (m\xi - \eta) = 0$

Da ξ eine Doppellösung und $a = 0$ ist, so ist die dritte Lösung gleich -2ξ, also $x_S = -2\xi$.

Der Schnittpunkt S der Tangente und der Parabel hat absolut genommen die doppelte Abszisse wie der Berührpunkt (vgl. Abb. 76).

80. Im Punkt $T\,(\xi;\ \eta)$ wird an die Parabel $y = x^3 + px$ die Tangente (t) gelegt und durch den Wendepunkt (= Nullpunkt) die Parallele u gezogen. Welche Koordinaten haben die Schnittpunkte $P\,(x_1;\ y_1)$? In welchem Punkt $Q\,(x_2;\ y_2)$ schneidet die Gerade $PT = v$ die Parabel? (Abb. 76.)

---

* Vergleiche Analytische Geometrie, MR 26.

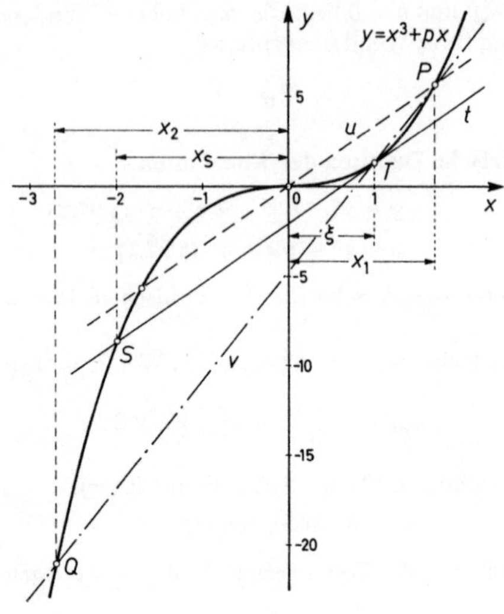

Abb. 76

t und u haben die Steigung $m = 3\xi^2 + p$

Gleichung von u: $\quad y = mx = (3\xi^2 + p)\,x$

dazu $\quad y = x^3 + px = (x^2 + p)\,x$

daraus die Koordinaten von P: $x_1 = \pm\,\xi\sqrt{3}$;

$$y_1 = \pm\,\xi\sqrt{3}\,(3\xi^2 + p)$$

Steigung von PT: $\quad \mu = \frac{y_1 - \eta}{x_1 - \xi} = \left(4 + \sqrt{3}\right)\xi^2 + p$

Gleichung von v: $\quad y - \eta = \mu\,(x - \xi)$

dazu $\quad y = x^3 + px$

Hieraus erhält man beim Einsetzen der vorstehenden Werte die kubische Gleichung

$$x^3 - \left(4 + \sqrt{3}\right)\xi^2 x + \left(3 + \sqrt{3}\right)\xi^3 = 0$$

Sie erfüllt die Koordinaten von T ($x_1 = \xi$) und von P ($x_2 = \xi\sqrt{3}$). Nach VIETA ist (wegen $a = 0$)

$$x_2 = -\left(\sqrt{3} + 1\right)\xi = -\,(x_1 + \xi)$$

Der Absolutwert der Abszisse von Q ist gleich der Summe der Abszissen von P und T.

81. Die kubische Parabel $y = x^3 - bx$ wird von der Geraden $y = mx + n$ geschnitten. Es ist zu zeigen, daß für die Koordinaten der drei Schnittpunkte die Beziehungen gelten:

$$x_1 + x_2 + x_3 = 0 \qquad \text{und} \qquad y_1 + y_2 + y_3 = 3 \cdot x_1 \cdot x_2 \cdot x_3 = 3n$$

Aus $x^3 - bx = mx + n$ erhält man die kubische Gleichung

$$x^3 - (b + m)\,x - n = 0$$

(1) Nach dem Satz von VIETA hat die Summe der drei Lösungen den Wert Null.

(2) Es ist $y_1 + y_2 + y_3 = x_1^3 + x_2^3 + x_3^3 - b\,(x_1 + x_2 + x_3)$
$= x_1^3 + x_2^3 + x_3^3$

Wegen $x_3 = -(x_1 + x_2)$ wird dann

$$y_1 + y_2 + y_3 = x_1^3 + x_2^3 - (x_1 + x_2)^3 = -3x_1^2x_2 - 3x_1x_2^2 =$$
$$= -3x_1x_2\,(x_1 + x_2) = +3x_1x_2x_3$$

Nach VIETA ist das Produkt der drei Lösungen gleich n, womit auch die zweite Beziehung bewiesen ist.

Spezielle Aufgabe: Parabel $y = x^3 - 4x$;

Geraden: (a) $y = \frac{1}{3}x + 1{,}5$; (b) $y = 2\frac{3}{4}x + 6\frac{3}{4}$; (c) $y = \frac{1}{2}x + 46$.

Ergebnisse:

(a) $x = 2{,}24$; $-0{,}36$; $-1{,}88$; Summe $= 0$
$y = 2{,}25$; $1{,}38$; $0{,}87$; Summe $= 4{,}5 = 3 \cdot 1{,}5$

(b) $x = 3$; $-1{,}5$; $-1{,}5$ (Die Gerade ist die Tangente)
$y = 15$; $2\frac{5}{8}$; $2\frac{5}{8}$; Summe $= 20\frac{1}{4} = 3 \cdot 6\frac{3}{4}$

(c) $x = 4$; $-2 \pm \frac{i}{2}\sqrt{30}$ (Die Gerade schneidet nur einmal)
$y = 48$; $45 \pm \frac{i}{4}\sqrt{30}$; Summe $= 138 = 3 \cdot 46$

82. Der Wendepunkt der Parabel $y = x^3 - \frac{3}{2}x^2 - \frac{5}{4}x + 2\frac{3}{8}$ ist in den Nullpunkt zu verschieben (Abb. 77). Gesucht sind:

(a) die Koordinaten des Wendepunktes im x-y-System;

(b) die Nullstellen sowie die Koordinaten der Extreme und der Stützpunkte im ξ-η-System;

(c) die Steigung der Wendetangente und der Tangenten in den Stützpunkten.

Ergebnisse: (a) $W\left(\frac{1}{2};\ 1\frac{1}{2}\right)$

(b) $\eta = \xi^3 - 2\xi = \xi\,(\xi^2 - 2)$; $N\left(\pm\sqrt{2}\right)$; $E\left(\pm\frac{1}{3}\sqrt{6};\ \mp\frac{4}{9}\sqrt{6}\right)$;
$S\left(\pm\frac{2}{3}\sqrt{6};\ \pm\frac{4}{9}\sqrt{6}\right)$

(c) $m_W = -2$; $m_S = +6$

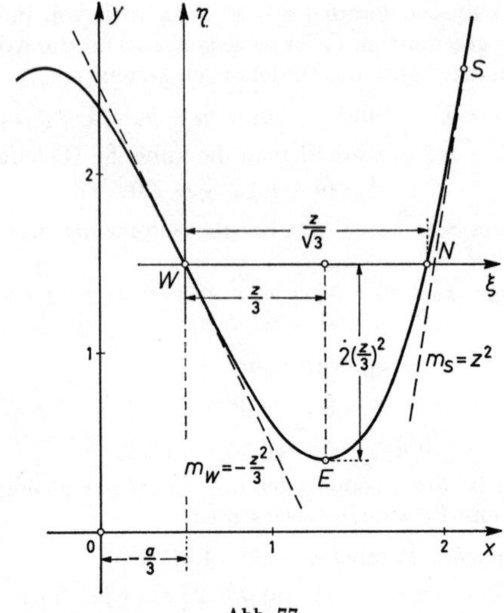

Abb. 77

83. Es ist zu zeigen, daß durch Koordinaten-Transformation der Parabel $y = x^3 + ax^2 + bx + c$ in die Parabel $\eta = \xi^3 + p\xi$ folgende Beziehungen gelten:

$$\xi_E = \pm \frac{z}{3}; \quad \eta_E = \mp 2\left(\frac{z}{3}\right)^3; \quad N\left(\pm \frac{z}{\sqrt{3}}\right);$$

$$m_W = -\frac{z^2}{3}; \quad m_S = +z^2,$$

worin $z = \sqrt{a^2 - 3b}$ bedeutet.

Vergleiche mit den Ergebnissen der vorigen Aufgabe! $z = \sqrt{6}$

Ergebnisse: $x_W = -\frac{a}{3}$ (§ 97, 2.2)

$$x_E = -\frac{a}{3} \pm \frac{\sqrt{a^2 - 3b}}{3} \text{ (§ 99.1), also}$$

$$\xi_E = \pm \frac{1}{3}\sqrt{a^2 - 3b} \equiv \pm \frac{z}{3}$$

für $\xi_E = \pm k$ ist $\eta_E = \mp 2k^3$ (§ 99.1),

also $\eta_E = \mp 2\left(\frac{z}{3}\right)^3$

$m_W = -3k^2, \quad m_S = +9k^2$ (§ 99.3), also wegen $k = \frac{z}{3}$:

$m_W = -\frac{1}{3}z^2; \quad m_S = +z^2.$

§ 99 Extreme und Stützpunkte

1. Extreme

Wir betrachten die Funktion

$$y = x^3 + px$$

in der wir zur Vereinfachung der folgenden Rechnung

$$p = -3k^2$$

setzen, also die Funktion

$$y = x^3 - 3k^2x = x(x^2 - 3k^2)$$

Sie hat für $x = \pm k$ die Ordinaten

$$y = \pm k(k^2 - 3k^2) = \mp 2k^2$$

Wir zeigen nun, daß die Punkte

$$E_1(+k; -2k^3) \text{ und } E_2(-k; +2k^3)$$

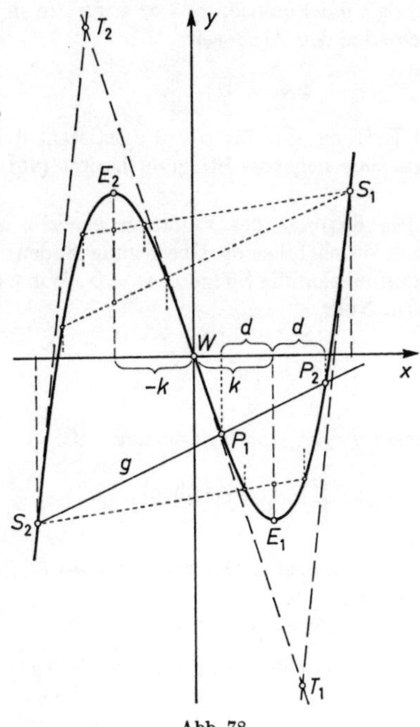

Abb. 78

die Extreme unserer Funktion sind, daß also für Abszissen, deren Absolutwert größer oder kleiner als k ist, die Absolutwerte der Ordinaten *kleiner* als $2k^3$ sind (Abb. 78).

Es sei $|x| = k \pm d$, mit $d < k$, also

$$x^2 = k^2 \pm 2kd + d^2$$

dann ist $$y = (k + d)(k^2 \pm 2kd + d^2 - 3k^2)$$

$$y = (k \pm d)(-2k^2 \pm 2kd + d^2)$$

oder $$-y = (k \pm d)(2k^2 \mp 2kd - d^2)$$

$$|y| = 2k^3 - 3d^2k \mp d^3$$

Für kleine Werte von d (etwa 0,1), d. h. für $x \approx k$, kann das Glied d^3 (0,001) vernachlässigt werden*, so daß

$$|y| = 2k^3 - 3d^2k$$

also $$|y| < 2k^3$$

was wir beweisen wollten.

Die Funktion $y = x^3 - 3k^2x$ hat die Extreme

(99.1) $\mathbf{E_1\,(+k;\ -2k^3);\quad E_2\,(-k;\ +2k^3)}$

Hieraus folgt, daß die Funktion $y = x^3 + px$, in der $p = -3k^2$ ist, ihre Extreme bei den Abszissen

(99.2) $$k = \pm\sqrt{-\frac{p}{3}}$$

hat, daß also Extreme nur für $p < 0$ existieren, d. h. wenn die Wendetangente eine negative Steigung besitzt (vgl. § 98, ferner Abb. 71).

Anmerkung. Die Extreme der Funktion $y = x^3 + ax^2 + bx + c$ kann man auch durch folgende Überlegung finden: In den Extremen hat die Funktion die Steigung $m = 0$. Wir setzen deshalb m (§ 98.1) gleich Null:

$$3x^2 + 2ax + b = 0$$

und erhalten $$x_E = \frac{-a \pm \sqrt{a^2 - 3b}}{3}$$

Für die Funktion $y = x^3 + bx$ ist wegen $a = 0$:

$$x_E = \sqrt{-\frac{b}{3}} \text{ (wie oben)}$$

2. Stützpunkte

Berechnen wir zur doppelten Extrem-Abszisse ($\pm 2k$) die Ordinate, so erhalten wir

$$y = \pm 2k(4k^2 - 3k^2) = \pm 2k^3$$

* Für $y = x^3 - 3x$ ist $k = 1$ und $|y_E| = 2$

$\pm d$	$\|y\|$
0,1	1,97
0,01	1,9997

Die Stützpunkte haben die gleichen Ordinaten wie die Extreme-

(99.3) $S(+2k;\ +2k^3);\quad S(-2k;\ -2k^3)$

Da der Nullpunkt der Wendepunkt unserer Funktion ist, so liegen die Extreme und die Stützpunkte punktsymmetrisch zum Wendepunkt. Die Koordinaten des Wendepunktes sind also das arithmetische Mittel aus den Koordinaten der Extreme bzw. der Stützpunkte. Diese Tatsache kann als *Probe* dienen.

3. Tangenten im Wendepunkt und in den Stützpunkten

Nach (98.1) hat die Tangente im Punkt $x = \xi$ der Funktion

$$y = x^3 - 3k^2x$$

die Steigung $m = 3\xi^2 - 3k^2$

Steigung im Wendepunkt ($\xi = 0$): $m_W = -3k^2$

Steigung in den Stützpunkten ($\xi = \pm 2k$): $m_S = +9k^2$

Die Steigung in den Stützpunkten hat absolut genommen den dreifachen Wert der Steigung der Wendetangente.

Übersicht:

	S_2	E_2	W	E_1	S_1
x	$-2k$	$-k$	0	$+k$	$+2k$
y	$-2k^3$	$+2k^3$	0	$-2k^3$	$+2k^3$
m	$+9k^2$	0	$-3k^2$	0	$+9k^2$

Aufgaben

84. Der Wendepunkt der Kurve $y = x^3 + 3x^2 - 9x - 15$ ist in den Nullpunkt eines ξ-η-Systems zu verschieben. Man bestimme die Extreme und die Stützpunkte, sowie die Steigung im Wendepunkt und in den Stützpunkten und zeichne die Kurve mit Hilfe der drei Tangenten!* Die Nullstellen sind abzulesen!

Es ist $x_W = -\frac{a}{3} = -1$, dazu $y_W = -4$; mit $x = \xi - 1$ und $y = \eta - 4$ erhalten wir

$$\eta = \xi^3 - 12\xi = \xi(\xi^2 - 12) \qquad (1)$$

Nach (1) ist $k = 2$, mithin

$E_1(2;-16), E_2(-2;16), S_1(4;16), S_2(-4;-16), m_W = -12, m_S = 36.$

Der Nullpunkt des x-y-Systems liegt bei (1; 4).

Als Nullstellen findet man 2,6; − 1,35; − 4,3.

(Genauere Werte: 2,62; − 1,34; − 4,28)

85. Man lege an die kubische Parabel $y = x^3 - 3k^2x$ die Tangenten im Wendepunkt und in den Stützpunkten und bringe sie

* Die Kurve schmiegt sich diesen Tangenten weitgehend an.

zum Schnitt. Welche Koordinaten haben die Tangentenschnittpunkte T_1 und T_2 (vgl. Abb. 78).

Die Aufgabe ist für das spezielle Beispiel $y = x^3 - 12x$ und allgemein zu lösen.

	speziell:	*allgemein:*
Wendetg.:	$y = -12x$	$y = -3k^2x$
Tg. in S_1:	$y - 16 = 36(x - 4)$	$y - 2k^3 = 9k^2(x - 2k)$
$x_{T_1} = 2\frac{2}{3}$;	$y_{T_1} = -32$	$x_{T_1} = \frac{4}{3}k$; $y_{T_1} = -4k^3$

für T_2 haben die Koordinaten die entgegengesetzten Vorzeichen.

Die Schnittpunkte T haben die doppelte Ordinate wie die Extreme E bzw. die Stützpunkte S.

86. Man wähle auf der Parabel (1) der Aufgabe 84 zwei Punkte P_1 und P_2, deren Abszissen um den gleichen Betrag ($d = 1{,}5$) kleiner bzw. größer sind als die Abszisse k ($= 2$) des Extrems, also P_1 ($x_1 = k - d = 0{,}5$) und P_2 ($x_2 = k + d = 3{,}5$), und lege durch die beiden Punkte eine Gerade g (vgl. Abb. 78). Es ist zu zeigen:

(1) daß die Gerade die Steigung $m = d^2$ besitzt;

(2) daß sie durch den Stützpunkt S_2 geht.

Spezielle Lösung. Es ist $P_1\,(0{,}5\,;\ -5{,}875)$; $P_2\,(3{,}5\,;\ 0{,}875)$;

daher $m = \dfrac{y_2 - y_1}{x_2 - x_1} = \dfrac{6{,}75}{3} = 2{,}25 \; (= d^2)$

Der Punkt $S_2\,(-4\,;\ -16)$ muß die Gleichung der Geraden P_1P_2 erfüllen:

$$y - y_1 = m \cdot (x - x_1)$$

$$y \to -16,\quad y_1 \to -5{,}875,\quad m \to 2{,}25,\quad x \to -4,\quad x_1 \to 0{,}5$$

$$-10{,}125 = 2{,}25 \cdot (-4{,}5)$$

$$-10{,}125 \equiv -10{,}125$$

Allgemeine Lösung.

(1) Es ist $m = \dfrac{x_2^3 - 3k^2x_2 - x_1^3 + 3k^2x_1}{x_2 - x_1} = x_2^2 + x_2x_1 + x_1^2 - 3k^2$

$$m = (k+d)^2 + (k+d)(k-d) + (k-d)^2 - 3k^2 = d^2$$

(2) Der Punkt $S_2\,(-2k\,;\ -2k^3)$ muß die Gleichung der Geraden erfüllen:

$$y - y_1 = d^2(x - x_1)$$

also $$-2k^3 - y_1 = d^2(-2k - x_1)$$

oder $$2k^3 + y_1 = d^2(2k + x_1)$$

wobei $x_1 = k - d$ und $y_1 = (k - d)^3 - 3k^2(k - d)$ einzusetzen ist. Man erhält dann eine Identität.

ZEICHNERISCHE LÖSUNG

§ 100 Lösungsverfahren mit der festen Wendeparabel und einer Geraden

1. Prinzip

Wir schreiben die reduzierte Gleichung

$$x^3 - 7x - 6 = 0$$

in der Form $\qquad x^3 = 7x + 6$

und fassen sowohl die linke als auch die rechte Seite als Funktionen auf:

$$y_1 = x^3 \text{ (Wendeparabel) und } y_2 = 7x + 6 \text{ (Gerade, } g_1\text{)}$$

Wegen $y_1 = y_2$ müssen wir die Schnittpunkte von Wendeparabel und Gerade feststellen, um die Lösungen unserer Gleichung zu erhalten. Aus Abb. 79 lesen wir die Abszissen der Schnittpunkte ab:

$$x_1 = +3; \quad x_2 = -1; \quad x_3 = -2$$

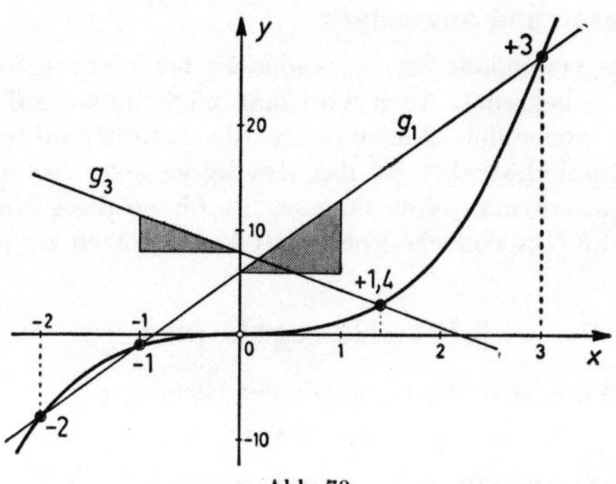

Abb. 79

Zweckmäßig fertigt man sich aus Pappe eine Schablone der Wendeparabel in einem geeigneten Maßstab an, etwa 1 : 10 oder 1 : 20 auf der y-Achse.

Beispiele. ① $x^3 - 13x + 12 = 0$

$$y_1 = x^3; \quad y_2 = 13x - 12$$

Lösungen: $x_1 = +3; \quad x_2 = +1; \quad x_3 = -4$.

② $x^3 + 3{,}6x - 8 = 0; \quad y_1 = x^3; \quad y_2 = -3{,}6x + 8 \; (g_3)$

Die Gerade (mit negativer Steigung) schneidet die Wendeparabel nur einmal bei $x \approx 1{,}4$. Als genauere Lösung liefert die Rechnung den Wert $x = 1{,}423$; die beiden anderen Lösungen sind komplex.

③ $x^3 + 9x^2 + 4x - 7 = 0$

Mit $x = z - 3$ erhält man $z^3 - 23z + 35 = 0$

Die Funktionen $y = z^3$ und $y = 23z - 35$ haben einen Schnittpunkt bei $z \approx 1{,}8$; also ist $x \approx -1{,}2$.

Mit dem trigonometrischen Verfahren findet man $x_1 = -1{,}2421$; $x_2 = 0{,}6688$; $x_3 = -8{,}4268$.

Aufgaben

87. $x^3 + 6x^2 + 15x + 8 = 0$

Mit $x = z - 2$ ergibt sich $z^3 + 3z - 6 = 0$

Schnittpunkt bei $z \approx 1{,}3$, also $x \approx -0{,}7$ (genauer: $-0{,}7133$).

88. $x^3 - 6x^2 + 5\frac{1}{4}x + 12\frac{1}{4} = 0$

Mit $x = z + 2$ erhält man $z^3 - 6\frac{3}{4}z + 6\frac{3}{4} = 0$

Die Gerade $y = 6\frac{3}{4}z - 6\frac{3}{4}$ berührt die Wendeparabel bei $z = 1{,}5$ und schneidet sie bei $z = -3$.

Lösungen: $x_1 = x_2 = 3{,}5$; $x_3 = -1$.

2. Genauigkeit und Anwendung

Die Ablesegenauigkeit ist – besonders bei nicht ganzzahligen Abszissen – begrenzt. Auch wird man nicht immer auf dem zur Verfügung stehenden Zeichenblatt die Schnittpunkte ablesen können. Zumindest aber ist das *Abschätzen eines Schnittpunktes* möglich, so daß man ohne längeres Probieren diese Näherungslösung in die NEWTONsche Formel (102.1) einsetzen kann.

§ 101 Die regula falsi

Beispiel. Wir suchen die Lösungen der Gleichung

$$x^3 - 29x - 104 = 0$$

und haben festgestellt, daß zu der Funktion

$$y = x^3 - 29x - 104$$

folgende Wertepaare gehören:

P_1	P_2	P_2'	P_2''	P_2'''
$x_1 = 7$	$x_2 = 6$	6,6	6,67	6,68
$y_1 = +36$	$y_2 = -62$	$-7{,}9$	$-1{,}3$	$+0{,}36$

Da P_1 über und P_2 unter der x-Achse liegt, so schneidet die Kurve die x-Achse zwischen 6 und 7; also hat die Gleichung eine Lösung $6 < x < 7$, die offenbar näher bei 7 als bei 6 liegt.

1. Prinzip (Abb 80.)

Verbinden wir die beiden Punkte P_1 und P_2 durch eine *Gerade*, so schneidet sie die x-Achse in einem Punkt Q, der in der Nähe der gesuchten Nullstelle (N) liegt. Der Betrag, der von x_1 zu subtrahieren ist, um die Abszisse von Q zu erhalten, sei u. Dann ist auf Grund der Ähnlichkeit der Dreiecke P_1AQ und P_1PB_2:

$$\frac{y_1}{u} = \frac{y_1 - y_2}{x_1 - x_2}$$

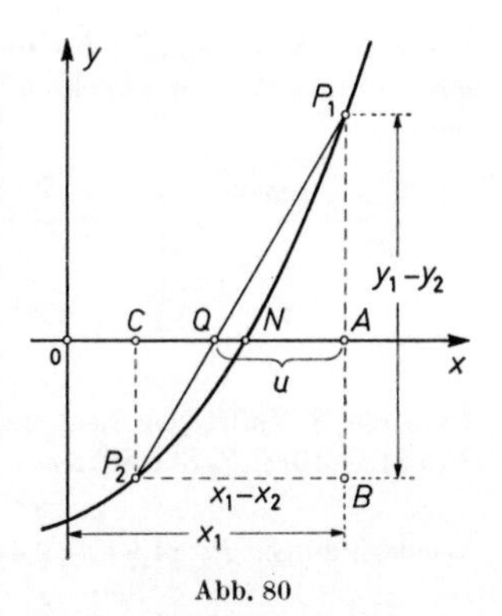

Abb. 80

wobei der Bruch auf der rechten Seite nichts anderes ist als die Steigung (m) der Geraden:

$$\frac{y_1}{u} = m \quad \text{oder} \quad u = \frac{y_1}{m}$$

Der erste Näherungswert ($x^\star$) für die Nullstelle ist mithin

$$\text{(101.1)} \qquad \boldsymbol{x^\star = x_1 - \frac{y_1}{m}}$$

2. Anwendung

In unserem Beispiel ist $y_1 - y_2 = 96$; $x_1 - x_2 = 1$, also $m = 96$.

$$x^\star = 7 - \tfrac{36}{96} = 6{,}6$$

Zu $x = 6{,}6$ liefert das HORNER-Schema $y = -7{,}9$.

Wir betrachten nun den Punkt P_2' $(6{,}6; -7{,}9)$ und wiederholen das Verfahren:

$$m = \frac{36 + 7{,}9}{0{,}4} \approx 110; \qquad u = \frac{36}{110} = 0{,}33$$

$$x^\star = 7 - 0{,}33 = 6{,}67; \quad \text{dazu} \quad y = -1{,}3$$

Wiederholung für P_2'' $(6{,}67; -1{,}3)$:

$$m = \frac{36 + 1{,}3}{0{,}33} \approx 113; \qquad u = \frac{36}{113} = 0{,}32$$

$$x^\star = \mathbf{6{,}68}; \quad \text{dazu} \quad y = 0{,}36$$

Dieser Wert ist also noch etwas zu groß. Die CARDANO-Formel ergibt $x = 6{,}677$; die beiden anderen Lösungen sind komplex.

Aufgaben

89. Welche Lösungen hat die Gleichung

$$x^3 - 9x^2 - 22x + 200 = 0$$

Um einen Anhaltspunkt für die Lage der Nullstellen zu bekommen, ermittelt man zweckmäßig die Extreme* und die Stützpunkte:

Besondere Punkte	S	E	W	E	S
$x \approx$	-5	-1	3	7	11
$y \approx$	-52	212	80	-52	212
	$\underbrace{\quad}_{N}$ (zwischen −52 und 212)		$\underbrace{\quad}_{N}$ (zwischen 80 und −52)	$\underbrace{\quad}_{N}$ (zwischen −52 und 212)	

Eine der 3 Nullstellen liegt zwischen 3 und 7, also etwa bei 5; $P_1(5\,;\ -10)$; $P_2(3\,;\ 80)$; $m = -45$, $u = 0{,}2$

$$x^\star = 4{,}8$$

Wiederholung: $P_2'(4{,}8\,;\ -2{,}4)$; $m = -38$; $u = 0{,}26$

$$x_1 = \mathbf{4{,}74}$$

Die quadr. Restgleichung liefert $x_2 = \mathbf{8{,}97}$; $x_3 = \mathbf{-4{,}71}$

Durch trigonometrische Lösung findet man die genaueren Werte 4,7403; 8,9657; − 4,7060.

90. $x^3 - 114x + 364 = 0$

Besondere Punkte	E	W	E^{**}	P_1	P_2
$x \approx$	-6	0	6	3	4
$y \approx$	832	364	-104	49	-28
		$\underbrace{\quad}_{N}$ (zwischen 364 und −104)		$\underbrace{\quad}_{N}$ (zwischen 49 und −28)	

Eine Nullstelle liegt zwischen 0 und 6; wir berechnen deshalb die Ordinaten zu $x = 3$ und $x = 4$ und stellen fest, daß $3 < x < 4$. Ergebnis: $m = -77$; $u = 0{,}4$; also $x_1 \approx 3{,}6$ (dazu $y = 0{,}256$) $x_2 \approx 8{,}42$; $x_3 \approx -12{,}02$.

Trigonometrische Lösung: 3,6035; 8,4092; − 12,0127.

§ 102 Das Näherungsverfahren von Newton

1. Prinzip

Dieses von Newton angegebene Verfahren zur angenäherten Lösung von Gleichungen höheren Grades ist in der Differentialrechnung (MR 33) ausführlich beschrieben.

Es entspricht der regula falsi; jedoch wird hier die in einem der Punkte P_1 oder P_2 gezogene *Tangente* mit der x-Achse im Punkt Q zum Schnitt gebracht (Abb. 81).

* Nach (98.1): $3x^2 - 18x - 22 = 0$, daraus $x_E \approx 7$ und $x_E \approx -1$, ferner $x_W = 3$.

** Nach (99.1): $x_E = \sqrt{\frac{114}{3}} \approx \pm 6$.

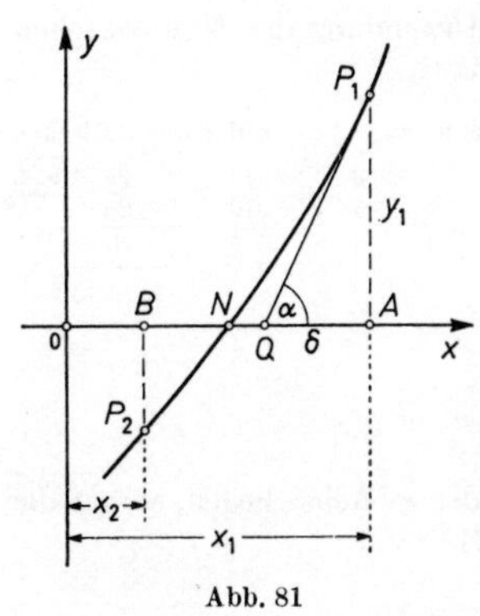

Abb. 81

Ihre Steigung erhalten wir aus dem rechtwinkligen Dreieck P_1AQ:

$$\tan\alpha = m = \frac{y_1}{\delta}, \quad \text{daraus } \delta = \frac{y_1}{m}$$

und mithin als ersten Näherungswert für die Nullstelle:

$$x^\star = x_1 - \frac{y_1}{m} \tag{102.1}$$

Durch wiederholte Anwendung dieser Formel kann jede gewünschte Annäherung an die Nullstelle erreicht werden. Dabei arbeitet man vorteilhaft mit dem verlängerten HORNER-Schema, das zu einer gewählten Abszisse sowohl die Ordinate als auch die Tangentensteigung liefert (§ 97).

Beispiel. $x^3 + 3x^2 - 45x + 25$

x	y
0	+ 25
1	− 16

1	3	− 45	25	$1 = x_1$
0	1	4	− 41	
1	4	− 41	$-16 = y_1$	
0	1	5		
1	5	$-36 = m$		

$x^\star = 1 - \frac{16}{36} = 0{,}56 \approx 0{,}6$

1	3	− 45	25	0,6
0	0,6	2,16	− 25,704	
1	3,6	− 42,84	− 0,704	
0	3,6	4,32		
1	7,2	− 38,52		

$x^\star = 0{,}6 - 0{,}018 = 0{,}582$

1	3	− 45	25	0,582
0	0,582	2,085	− 24,977	
1	3,582	− 42,915	0,023	
0	0,582	2,423		
1	4,164	− 40,5		

$x^\star = 0{,}582 + 0{,}00057 = \mathbf{0{,}58257}$

Dieser Wert ist nach dreimaliger Anwendung der NEWTONschen Formel bereits auf 5 Dezimalen genau!

Unsere Gleichung hat die ganzzahlige Lösung $x_1 = 5$; aus der quadratischen Restgleichung

$$x^2 + 8x - 5 = 0$$

erhalten wir $x_{2,3} = -4 \pm \sqrt{21}$
$= -4 \pm 4{,}58257$
also $x_2 = 0{,}58257$ und $x_3 = -8{,}58257$.

$$\begin{array}{rrrr|l} 1 & 3 & -45 & 25 & 5 \\ 0 & 5 & 40 & -25 & \\ \hline 1 & 8 & -5 & 0 & \end{array}$$

Aufgaben

91. $x^3 - x^2 - 29x - 95 = 0$

Da alle angeführten Punkte unter der x-Achse liegen, so hat die Funktion nur *eine* Nullstelle ($> 6{,}7$).

$$\begin{array}{rrrr|l} 1 & -1 & -29 & -95 & 7 \\ 0 & 7 & 42 & 91 & \\ \hline 1 & 6 & 13 & -4 & \\ 0 & 7 & 91 & & \\ \hline 1 & 13 & 104 & & \end{array}$$

Bes. P	S	E	W	E	S
$x \approx$	-6	$-2{,}8$	$0{,}3$	$3{,}5$	$6{,}7$
$y \approx$	-170	-40	-105	-170	-40

$x = 7 + 0{,}04 = \mathbf{7{,}04}$

Die CARDANO-Formel liefert $x = 7{,}038$

92. $x^3 + 24x^2 + 192x + 532 = 0$

Für x kommen nur negative Werte in Betracht. Die Funktion besitzt keine Extreme, hat also nur eine Nullstelle. Der Wendepunkt liegt bei $W(-8;\ +20)$; daher ist $x < -8$.

$$\begin{array}{rrrr|l} 1 & 24 & 192 & 532 & -10 \\ 0 & -10 & -140 & -520 & \\ \hline 1 & 14 & 52 & 12 & \\ 0 & -10 & -40 & & \\ \hline 1 & 4 & 12 & & \end{array}$$

$x^* = -10 - 1 = -11$

$$\begin{array}{rrrr|l} 1 & 24 & 192 & 532 & -11 \\ 0 & -11 & -143 & -539 & \\ \hline 1 & 13 & 49 & -7 & \\ 0 & -11 & -22 & & \\ \hline 1 & 2 & 27 & & \end{array}$$

$x^* = -11 + \frac{7}{27} = -10{,}7$

$$\begin{array}{rrrr|l} 1 & 24 & 192 & 532 & -10{,}7 \\ 0 & -10{,}7 & -142{,}31 & -531{,}683 & \\ \hline 1 & 13{,}3 & 49{,}69 & 0{,}317 & \\ 0 & -10{,}7 & -27{,}82 & & \\ \hline 1 & 2{,}6 & 21{,}87 & & \end{array}$$

$x = -10{,}7 - 0{,}0145$

$\mathbf{x = -10{,}7145}$

Durch die Reduktion $x = z - 8$ erhält man die Gleichung
$z^3 + 20 = 0$, also

$z = -\sqrt[3]{20} = -2{,}7144$
also $x = -10{,}7144$

93. $x^3 - 6x^2 - 79x + 480 = 0$

Da das erste Extrem eine relativ kleine Ordinate hat, so liegen *zwei* Nullstellen in der Nähe von 7,5.

	E	W	E
x	7,5	2	– 3,5
y	– 28	306	640

Mit $x_1 \approx 7$ und $x_2 \approx 8$ ist $x_1 \cdot x_2 \approx 56$, also $x_3 \approx -\frac{480}{56} \approx -8{,}5$; wir probieren deshalb mit $x = -9$:

1	– 6	– 79	480	– 9
0	– 9	135	– 504	
1	– 15	56	– 24	
0	– 9	216		
1	– 24	272		

$x^\star = -9 + 0{,}1 = -8{,}9$

1	– 6	– 79	480	– 8,9
0	– 8,9	132,61	– 477	
1	– 14,9	53,61	3	
0	– 8,9	211,82		
1	– 23,8	265,43		

$x = -8{,}9 - 0{,}01 = \mathbf{-8{,}91}$

Die quadratische Restgleichung liefert $x = \frac{14{,}9 \pm 2{,}75}{2}$

$$x_2 = \mathbf{8{,}8}\,; \quad x_3 = \mathbf{6{,}1}\,.$$

Trigonometrische Lösung: – 8,911; 8,765; 6,147.

Anmerkung. Zur Lösung der Gleichungen von höherem als dem dritten Grad gibt es keine Formel; man wendet das NEWTONsche Näherungsverfahren sinngemäß an.

Beispiel: $x^4 - 13x^3 + 47x^2 - 23x - 70 = 0$

x	y
0	– 70
– 1	+ 14

1	– 13	47	– 23	– 70	– 1
0	– 1	14	– 61	84	
1	– 14	61	– 84	+ 14	
0	– 1	15	– 76		
1	– 15	76	– 160		

$x = -1 + \frac{14}{160} = \mathbf{-0{,}91}$

1	– 13	47	– 23	– 70	– 0,91
0	– 0,91	12,66	– 54,29	70,33	
1 –	– 13,91	59,66	– 77,29	0,33	

kubische Restgleichung: $x^3 - 13{,}91x^2 + 59{,}66x - 77{,}29 = 0$ mit den Lösungen **2,43**; **4,63**; **6,84** (Produkt = – 70,03)

2. Vergleich

des NEWTONschen Näherungsverfahrens mit der regula falsi. Das NEWTONsche Verfahren ist in der Handhabung einfacher, da sich die benötigten Werte für y_1 und m leicht mit dem HORNER-

Schema berechnen lassen. Es führt im allgemeinen rascher zum Ziel, da der Schnittpunkt der Tangente in einem der Punkte mit der x-Achse näher bei der Nullstelle liegt als der Schnittpunkt der geradlinigen Verbindung der beiden Punkte.

3. Zusammenfassende Betrachtung der kubischen Gleichungen

Kubische Gleichungen treten in zahlreichen angewandten Aufgaben auf; hier hat man meist einen Anhaltspunkt über die Größenordnung der Lösung: Der Tiefgang einer Halbkugel kann nicht größer als der Radius sein. Man geht mit der geschätzten Lösung ins HORNER-Schema und gewinnt einen auf eine bis zwei Dezimalen genauen Wert. Hierbei sind „unbrauchbare" Lösungen (vgl. z. B. § 93) auszuscheiden.

Die zeichnerische Lösung mit der Wendeparabel erfordert die Reduktion der allgemeinen kubischen Funktion. Die Zeichnung ist mit einer Schablone schnell durchgeführt: man erkennt sofort die Anzahl der Lösungen und bekommt zumindest Näherungswerte, die sich mit dem NEWTONschen Verfahren verbessern lassen.

In den Fällen, wo eine größere Genauigkeit erwünscht ist, wird man sich der rechnerischen Methoden bedienen. Das Vorzeichen der Diskriminante entscheidet, ob die CARDANO-Formel oder das trigonometrische Verfahren angewandt werden muß.

Wenn die Funktion gezeichnet werden soll, so ist die Koordinaten-Transformation zu empfehlen (vgl. § 97.3).

§ 103 Aufgaben

94. Das Minimum einer kubischen Parabel hat die Abszisse 2. Im Wendepunkt $W\,(0;\,0)$ ist die Steigung $m_W = -\frac{1}{2}$.

Wegen der Punktsymmetrie zum Nullpunkt sind die Nullstellen absolut genommen gleich; sie seien $\pm\, n$.

Ansatz: $y = \alpha x\,(x^2 - n^2) = \alpha\,(x^3 - n^2 x)$

$m_E = 0$: $m_E = \alpha\,(3x^2 - n^2) = 0$

daraus $x_E = \pm \dfrac{n}{\sqrt{3}} = 2$, mithin $n = \pm\, 2\sqrt{3}$

$m_W = -\frac{1}{2}$: $m_W = -\,\alpha\, n^2 = -\,12\alpha = -\frac{1}{2}$, also $\alpha = \frac{1}{24}$

Funktion: $y = \frac{1}{24}\,x^3 - \frac{1}{2}\,x$

95. Eine kubische Parabel hat die Stützpunkte $S_1\,(3;\,6)$ und $S_2\,(11;\,70)$. Bestimme die Funktion und ihre Nullstellen!

Mitgegeben sind der Wendepunkt $W\,(7;\,38)$ und die Extreme $E_1\,(5;\,70)$ und $E_2\,(9;\,6)$. Da beide Extreme positive Ordinaten haben, besitzt die Parabel nur eine Nullstelle (< 3).

Ansatz: $y = x^3 + ax^2 + bx + c$

Wir setzen die Koordinaten von 3 Punkten ein und erhalten aus den 3 Gleichungen:

$$a = -21; \quad b = 135; \quad c = -240$$

$$y = x^3 - 21x^2 + 135x - 240 = 0 \qquad (1)$$

Für S_1 $(x = 3)$:

1	− 21	135	− 240	3
0	3	− 54	243	
1	− 18	81	3 (statt 6)	

Auch die übrigen aus (1) berechneten Ordinaten sind nur halb so groß wie die gegebenen; die Funktion lautet also

$$y = 2x^3 - 42x^2 + 270x - 480^*$$

Nullstelle: $x = 2{,}92$.

96. Auf einer kubischen Parabel liegt der Punkt $P(1; 1)$. Im Wendepunkt $W(2; 3)$ ist die Steigung $m_W = +1$.

Ansatz: $y = x^3 + ax^2 + bx + c$

$W(2; 3)$: $3 = 8 + 4a + 2b + c$ | +

$P(1; 1)$: $1 = 1 + a + b + c$ | −

$0 = 5 + 3a + b \rightarrow 3a + b = -5$

$m = 3x^2 + 2ax + b$

$m_W = 1$: $1 = 12 + 4a + b \rightarrow 4a + b = -11$

$a = -6; \quad b = 13; \quad c = -7$

Funktion: $y = x^3 - 6x^2 + 13x - 7$

Da $m_W > 0$, so besitzt die Kurve keine Extreme und nur eine Nullstelle $x = 0{,}79$.

97. Eine kubische Parabel, auf welcher der Punkt $P(1; 5)$ liegt, schneidet die y-Achse bei -2; der Wendepunkt hat die Koordinaten $W(-1; -3)$.

Ansatz: $y = x^3 + ax^2 + bx - 2$

$W(-1; -3)$: $-3 = -1 + a - b - 2 \rightarrow a = b$

$P(1; 5)$: $5 = 1 + a + b - 2 \rightarrow a + b = 6$

$a = b = 3$

Funktion: $y = x^3 + 3x^2 + 3x - 2 = (x + 1)^3 - 3$

Koord.-Transf.: $x + 1 = \xi; \quad y + 3 = \eta$, also $\eta = \xi^3$.

Nullstelle $x = 0{,}44$.

---

* Dieses Ergebnis erhält man auch aus dem Ansatz $y = \alpha x^3 + ax^2 + bx + c$, indem man 4 Gleichungen ansetzt; die Berechnung ist aber umständlicher.

SYMMETRISCHE GLEICHUNGEN

§ 104 Symmetrische Gleichungen 2. Grades

1. Definition

In den symmetrischen Gleichungen sind die Koeffizienten der einzelnen Glieder einschließlich des absoluten Gliedes symmetrisch angeordnet.

Beispiele:

$2x^3 + 5x^2 + 5x + 2 = 0$ $\qquad$ $ax^4 + bx^3 + cx^2 + bx + a = 0$

$[2 \quad 5 \quad 5 \quad 2]$ $\qquad$ $[a \quad b \quad c \quad b \quad a \quad]$

2. Die symmetrische Gleichung 2. Grades

hat die Form

$Ax^2 + Bx + A = 0$ bzw. $x^2 + ax + 1 = 0$

$[A \quad B \quad A]$ $\qquad$ $[1 \quad a \quad 1]$

Für die Normalform ergeben sich die Lösungen

$$x_{1,2} = \frac{-a \pm \sqrt{a^2 - 4}}{2}$$

Nach VIETA ist $x_1 \cdot x_2 = 1$*, woraus folgt, daß die eine Lösung der Kehrwert der anderen ist.

Die symmetrische Gleichung 2. Grades besitzt zwei reziproke Lösungen.

Beispiel: $6x^2 + 13x + 6 = 0$; $x_1 = -\frac{2}{3}$; $x_2 = -\frac{3}{2}$

§ 105 Symmetrische Gleichungen 3. Grades

1. Die Gleichung $x^3 + ax^3 + ax + 1 = 0$

Wenn die auf der linken Seite stehende Summe für positives a den Wert Null haben soll, so muß x negativ sein. Setzen wir $x = -\xi$, so lautet unsere Gleichung

$$-\xi^3 + a\xi^2 - a\xi + 1 = 0$$

Da sie die Lösung $\xi = +1$ besitzt, so hat die gegebene Gleichung die Lösung

$$x_1 = -1$$

---

* $x_1 \cdot x_2 = \frac{-a + w}{2} \cdot \frac{-a - w}{2} = \frac{a^2 - w^2}{4} = \frac{a^2 - (a^2 - 4)}{4} = 1$

Durch Einsetzen in das HORNER-Schema erhalten wir die quadratische Restgleichung:

1	a	a	1	-1
0	-1	$-a+1$	-1	
1	$a-1$	1	0	

Da die quadratische Restgleichung $x^2 + (a - 1)x + 1 = 0$ symmetrisch ist, liefert sie zwei reziproke Lösungen.

Beispiel: $2x^3 + 7x^2 + 7x + 2 = 0$

Mit $x_1 = -1$ ergibt sich $2x^2 + 5x + 2 = 0$,
daraus $x_2 = -2$ und $x_3 = -\frac{1}{2}$.

2. Nicht-symmetrische Vorzeichen

Kann man auch die folgenden Gleichungen als symmetrisch bezeichnen?

(a) $x^3 - ax^2 + ax - 1 = 0$ $\quad + - \mid + -$

(b) $x^3 + ax^2 - ax - 1 = 0$ $\quad + + \mid - -$

In beiden Fällen sind die Vorzeichen *nicht* symmetrisch angeordnet. Wir setzen $x = -\xi$ und erhalten

(a) $-\xi^3 - a\xi^2 - a\xi - 1 = 0$ oder $\xi^3 + a\xi^2 + a\xi + 1 = 0$

(b) $-\xi^3 + a\xi^2 + a\xi - 1 = 0$ oder $\xi^3 - a\xi^2 - a\xi + 1 = 0$

Die neuen Gleichungen sind nun auch bezüglich der Vorzeichen symmetrisch und haben nach 1 eine Lösung $\xi = -1$, so daß die obigen Gleichungen eine Lösung

$$\mathbf{x_1 = +1}$$

besitzen. Um die beiden anderen Lösungen zu erhalten, muß man im HORNER-Schema $x = +1$ einsetzen:

(a)

1	$-a$	$+a$	-1	$+1$
0	1	$1-a$	1	
1	$1-a$	1	0	

(b)

1	$+a$	$-a$	-1	$+1$
0	1	$a+1$	1	
1	$a+1$	1	0	

Auch hier ergeben sich zwei reziproke Lösungen.

3. Ergebnis

Die symmetrische Gleichung 3. Grades besitzt zwei reziproke Lösungen mit gleichem Vorzeichen, sowie eine Lösung $x_1 = \pm 1$, deren Vorzeichen (nach VIETA) das entgegengesetzte Vorzeichen des absoluten Gliedes ist.

Aufgaben

98. (a) $12x^3 - 37x^2 + 37x - 12 = 0$

(b) $6x^3 - 19x^2 + 19x - 6 = 0$

(c) $4x^3 + 13x^2 - 13x - 4 = 0$

Ergebnisse:	x_1	quadratische Restgleichung	x_2	x_3
(a)	$+1$	$12x^2 - 25x + 12 = 0$	$\frac{4}{3}$	$\frac{3}{4}$
(b)	$+1$	$6x^2 - 13x + 6 = 0$	$\frac{3}{2}$	$\frac{2}{3}$
(c)	$+1$	$4x^2 + 17x + 4 = 0$	-4	$-\frac{1}{4}$

99.

(a) $x^3 + 5x^2 + 5x + 1 = 0$ Ergebnisse: $-1;\ -2 \pm \sqrt{3}$

(b) $x^3 - 2x^2 - 2x + 1 = 0$ $-1;\ \dfrac{3 \pm \sqrt{5}}{2}$

(c) $2x^3 - x^2 + x - 2 = 0$ $+1;\ \dfrac{-1 \pm i\sqrt{15}}{4}$

(d) $3x^3 + 2x^2 - 2x - 3 = 0$ $+1;\ \dfrac{-5 \pm i\sqrt{11}}{6}$

§ 106 Symmetrische Gleichungen 4. Grades

$$x^4 + ax^3 + bx^2 + ax + 1 = 0$$

1. Zusammenfassung der symmetrischen Glieder

Wir dividieren die Gleichung durch x^2 und fassen die symmetrischen Glieder zusammen:

$$\left(x^2 + \frac{1}{x^2}\right) + a\left(x + \frac{1}{x}\right) + b = 0 \qquad (1)$$

2. Substitution

Wir setzen
$$v = x + \frac{1}{x} \qquad (2)$$

und erhalten $v^2 = \left(x + \dfrac{1}{x}\right)^2 = x^2 + 2 + \dfrac{1}{x^2}$, mithin

$$v^2 - 2 = x^2 + \frac{1}{x^2} \qquad (3)$$

Durch Einsetzen der Werte aus (2) und (3) in (1) erhalten wir eine quadratische Gleichung für v:

$$v^2 - 2 \quad + av + b \quad = 0$$

oder
$$v^2 + av - (2 - b) = 0 \tag{4}$$

Durch Multiplikation von (2) mit x ergibt sich

$$vx = x^2 + 1$$

oder
$$x^2 - vx + 1 = 0 \tag{5}$$

Für jeden der v-Werte aus (4) liefert die symmetrische quadratische Gleichung (5) zwei reziproke Lösungen.

3. Ergebnis

Die symmetrische Gleichung 4. Grades besitzt zwei Paare reziproker Lösungen.

Beispiel. $$x^4 + 2{,}7x^3 - 11x^2 + 2{,}7x + 1 = 0$$

$$\left(x^2 + \frac{1}{x^2}\right) + 2{,}7\left(x + \frac{1}{x}\right) - 11 = 0$$

$$v^2 - 2 + 2{,}7v - 11 = 0$$

$$v^2 + 2{,}7v - 13 = 0$$

$v_1 = \mathbf{5{,}2}$ $\qquad$ $v_2 = \mathbf{-2{,}5}$

$x^2 - 2{,}5x + 1 = 0$ $\qquad$ $x^2 + 5{,}2x + 1 = 0$

$x_1 = 2 \quad x_2 = \frac{1}{2}$ $\qquad$ $x_3 = -\frac{1}{5} \quad x_4 = -5$

Aufgaben

100. (a) $3x^4 - 54x^3 + 146x^2 - 52x + 3 = 0$

(b) $x^4 - \frac{2}{5}x^3 + \frac{2}{25}x^2 - \frac{2}{5}x + 1 = 0$

(c) $x^4 - 3{,}7x^3 + 5x^2 - 3{,}7x + 1 = 0$

(d) $x^4 - 1{,}7x^3 - 1{,}7x + 1 = 0$

Ergebnisse:

quadr. Gleichg.	$v_{1,2}$	$x_{1,2}$	$x_{3,4}$
(a) $3v^2 - 52v + 140 = 0$	$14;\ \frac{10}{3}$	$7 \pm 4\sqrt{3}$	$3;\ \frac{1}{3}$
(b) $v^2 - \frac{2}{5}v - \frac{48}{25} = 0$	$1{,}6;\ -1{,}2$	$\frac{4 \pm 3i}{5}$	$\frac{-3 \pm 4i}{5}$
(c) $v^2 - 3{,}7v + 3 = 0$	$2{,}5;\ 1{,}2$	$2;\ \frac{1}{2}$	$\frac{3 \pm 4i}{5}$
(d) $v^2 - 1{,}7v - 2 = 0$	$2{,}5;\ -0{,}8$	$2;\ \frac{1}{2}$	$\frac{-2 \pm i\sqrt{21}}{5}$

§ 107 Symmetrische Gleichungen 5. Grades

Ihre Normalform ist

$$x^5 + ax^4 + bx^3 + bx^2 + ax + 1 = 0$$

Da eine symmetrische Gleichung 3. Grades zwei reziproke Lösungen und eine dritte Lösung -1 bzw. $+1$ besitzt, so dürfen wir vermuten, daß die symmetrische Gleichung 5. Grades zwei Paare reziproker Lösungen und eine fünfte Lösung -1 bzw. $+1$ besitzt. Wir setzen deshalb im HORNER-Schema $x = -1$:

1	a	b	b	a	1	$x = -1$
0	-1	$-a+1$	$-b+a-1$	$-a+1$	-1	
1	$a-1$	$b-a+1$	$a-1$	1	$0 = y$	

In der Tat ist -1 eine Lösung unserer Gleichung. Die in der letzten Zeile stehenden Werte sind die Koeffizienten einer symmetrischen Gleichung 4. Grades:

$$x^4 + (a-1)x^3 + (b-a+1)x^2 + (a-1)x + 1 = 0,$$

die zwei Paare reziproker Lösungen hat.

Beispiel:

$$72x^5 + 66x^4 - 187x^3 - 187x^2 + 66x + 72 = 0$$

72	66	−187	−187	66	72	$x = -1$
0	−72	6	181	6	−72	
72	−6	−181	−6	72	0	

Die Gleichung $72x^4 - 6x^3 - 181x^2 - 6x + 72 = 0$ formen wir (nach § 106) um:

$$72v^2 - 6v - 325 = 0$$

Ergebnis: $v_1 = \frac{31}{6}$ und $v_2 = -\frac{25}{12}$

$x_1 = \frac{3}{2}$ $\quad x_2 = \frac{2}{3}$ $\quad x_3 = -\frac{3}{4}$ $\quad x_4 = -\frac{4}{3}$ $\quad x_5 = -1$

§ 108 Symmetrische Gleichung 6. Grades

Die symmetrischen Gleichungen, deren Grad höher als 5 ist, lassen sich nicht mehr auf quadratische Gleichungen zurückführen. So führt bereits eine symmetrische Gleichung 6. Grades auf eine (nichtsymmetrische) kubische Gleichung.

$$ax^6 + bx^5 + cx^4 + dx^3 + cx^2 + bx + a = 0$$

Wir dividieren durch x^3:

$$a\left(x^3 + \frac{1}{x^3}\right) + b\left(x^2 + \frac{1}{x^2}\right) + c\left(x + \frac{1}{x}\right) + d = 0$$

und setzen $x + \frac{1}{x} = u$; dann ist $x^2 + \frac{1}{x^2} = u^2 - 2$

Wegen $\left(x + \frac{1}{x}\right)^3 = x^3 + 3x + 3 \cdot \frac{1}{x} + \frac{1}{x^3} = x^3 + \frac{1}{x^3} + 3\left(x + \frac{1}{x}\right)$

ist $x^3 + \frac{1}{x^3} = u^3 - 3u$

Wir erhalten nun

$$a(u^3 - 3u) + b(u^2 - 2) + cu + d = 0$$

also eine *kubische* Gleichung

$$\boldsymbol{au^3 + bu^2 + (c - 3a)u + (d - 2b) = 0}$$

Aufgaben

101. $6x^6 - 47x^5 + 138x^4 - 194x^3 + 138x^2 - 47x + 6 = 0$

daraus $6u^3 - 47u^2 + 120u - 100 = 0$

mit $u_1 = 3\frac{1}{3}$, $u_2 = 2$, $u_3 = 2\frac{1}{2}$

Aus den 3 quadratischen Gleichungen $x^2 - ux + 1 = 0$ finden wir die 6 Lösungen unserer Gleichung:

$$3; \ \tfrac{1}{3}; \ 1; \ 1; \ 2; \ \tfrac{1}{2}$$

102. $x^6 + 2x^5 - 3x^4 + 5x^3 - 3x^2 + 2x + 1 = 0$

daraus $u^3 + 2u^2 - 6u + 1 = 0$

mit $u_1 = -3{,}697$, $u_2 = 0{,}179$, $u_3 = 1{,}518$

Von den 6 Lösungen sind 4 konjugiert-komplex:

$$x_1 = 3{,}40; \quad x_2 = 0{,}29;$$

$$x_{3,4} = -0{,}09 \pm 0{,}44i; \quad x_{5,6} = -0{,}76 \pm 0{,}65i$$

Stichwortverzeichnis

(Die Zahlen beziehen sich auf die Seiten)

Gesamtstichwortverzeichnis zu Algebra I, II, III

Die römischen Zahlen beziehen sich auf die Bände, die arabischen auf die Seiten.